Über dieses Buch

Die große Schauspielerin Liv Ullmann erzählt in diesen ihren Memoiren, die auf Anhieb ein Welterfolg wurden, von ihren Krisen, Kämpfen und Siegen, vom Lieben und Geliebtwerden und von ihrem Leben und Arbeiten mit dem weltberühmten Regisseur Ingmar Bergman.

Über ihr Buch schreibt sie: «Als Kind träumte ich davon, einmal ein Buch zu schreiben, in dem ich Gedanken durchdenke. Gedanken, die Kontakt mit anderen Menschen schaffen sollten. Viele Kindheitsträume gingen in Erfüllung. Ich wurde Schauspielerin. Kam zu Erfolg. Zeitweise auch zu Reichtum. Machte Reisen und lernte viele Menschen kennen. Ich wurde Mutter. Ich kam mit Männern und Frauen zusammen, von denen andere nur lesen. Ich liebte. Und ich wurde geliebt. Aber dieser eine Traum, das Buch, mußte bis jetzt warten. Ich habe viele Jahre an meinem Buch gearbeitet. Ich habe versucht, einen Menschen ohne Maske zu zeigen, von einem Schicksal zu schreiben. Von Zweifel, Kampf, Niederlage und Sieg. Aber in erster Linie vom Dasein einer Lebensnovizin. Ich habe von Begegnungen geschrieben und vom Abschied, der notwendig war. Nichts ist wirklich sinnlos gewesen. Alles hatte einen Platz im Gefüge.

Sören Kierkegaard hat gesagt, daß wir mit einem besiegelten Auftrag zur Welt kommen.

Ich habe mich bemüht, herauszufinden, welchen Auftrag ich habe.»

Vollständige Taschenbuchausgabe
Droemersche Verlagsanstalt Th. Knaur Nachf.
München/Zürich
Lizenzausgabe mit freundlicher Genehmigung
des Scherz Verlages, Bern und München
Umschlaggestaltung: Atelier Blaumeiser
Umschlagfoto: Scheler
Gesamtherstellung: Mohndruck Reinhard Mohn GmbH,
Gütersloh
Printed in Germany
ISBN 3-426-00568-9

1.–30. Tausend November 1978
31.–40. Tausend November 1978

Liv Ullmann:
Wandlungen

Droemer Knaur

In dankbarer Erinnerung an Max Tau, der die Menschen Norwegens und Deutschlands einander wieder nahe gebracht hat.

Manchmal gebe ich den Menschen in diesem Buch Namen, aber meistens unterlasse ich es. Manchmal tritt jemand mit einem Namen auf, ein andermal bleibt er namenlos. Doch alle Personen sind real, und was ich über sie schreibe, ist eng mit meinem Leben verbunden.

Für meine Tochter Linn

Ich kam in einer kleinen Klinik in Tokio zur Welt. Mama erinnert sich, daß eine Maus über den Boden lief, was sie als gutes Omen nahm. Und daß sich eine Krankenschwester zu ihr herunterbeugte und ihr bedauernd zuflüsterte: «Es ist leider ein Mädchen. Möchten Sie es Ihrem Mann vielleicht lieber selbst sagen?»

Hier sitze ich, lasse mich von meinen Gedanken um die Welt und durch mein Leben tragen und versuche, diese Reise auf Papier festzuhalten.

Ich will über die Liebe schreiben, über den Menschen, der ich bin – über die Einsamkeit – die Frau in mir.

Ich möchte über eine Begegnung auf einer Insel schreiben. Über einen Mann, der mein Leben verändert hat.

Ich möchte über eine Veränderung schreiben, die sich zufällig ergab, und über eine Veränderung, die bewußt herbeigeführt wurde.

Ich möchte über Augenblicke schreiben, die ich als Geschenk betrachte – gute und schlechte Augenblicke.

Ich glaube nicht, daß mein Wissen und meine Erfahrungen größer sind als die anderer Menschen.

Ich habe einen Wunschtraum erfüllt bekommen – zehn neue sind an seine Stelle getreten. Ich habe auch gelernt, daß etwas, das glänzt, seine Kehrseite hat.

Ich werde nicht über die Liv Ullmann schreiben, die man aus Illustrierten und Zeitungen kennt. Möglich, daß einige Leser wichtige Details meines Lebens vermissen werden, aber ich habe auch nie die Absicht gehabt, eine Autobiographie zu schreiben.

Welche Ironie, daß ich, die ich in meinem Beruf täglich Körper, Gesicht, Gefühle zur Schau stellen muß, jetzt Angst vor der Selbstenthüllung habe. Angst davor, am Ende schutzlos dazustehen, verwundbar, mich nicht mehr verteidigen zu können.

Ich unterliege der Versuchung, die Dinge auszuschmükken, mich und meine Umgebung gefällig darzustellen, um die Sympathie des Lesers zu gewinnen. Oder die Dinge zu dramatisieren, um alles etwas spannender zu machen.

Offenbar glaube ich nicht daran, daß die Realität an sich interessant genug ist.

«Es gibt ein junges Mädchen in mir, das nicht sterben will», schrieb die dänische Schriftstellerin Tove Ditlevsen.

Ich lebe, freue mich, leide, und ich bemühe mich unentwegt, erwachsen zu werden. Doch jedesmal, wenn ich etwas tue, das das junge Mädchen in mir berührt, höre ich ihre Stimme. Höre das Mädchen, das ich vor vielen Jahren war. Oder zu sein glaubte.

Es ist eine drängende und meist protestierende, manchmal allerdings auch eine zarte, sehnsuchtsvolle und traurige Stimme. Ich will nicht auf sie hören, weil ich weiß, daß sie nichts mit meinem jetzigen Leben zu tun hat, aber sie macht mich unsicher.

Ab und zu nehme ich mir morgens vor, das Leben dieses jungen Mädchens zu leben, meine gewohnte Rolle gegen etwas anderes zu vertauschen. Ich schmiege mich eng an meine Tochter, bevor sie wach ist, spüre ihren warmen, ruhigen Atem und hoffe, daß ich durch sie vielleicht so werde, wie ich sein möchte.

Wenn ich an meine Kindheitsträume zurückdenke, wird

mir bewußt, daß sie im großen und ganzen denen, die ich jetzt habe, gar nicht so unähnlich sind. Nur lebe ich heute nicht mehr so, als gehörten meine Träume mit zur Wirklichkeit.

Das junge Mädchen, das in mir ist und «nicht sterben will», hofft noch immer auf etwas anderes. Kein Erfolg kann es zufriedenstellen, kein Glück läßt es verstummen.

Ständig versuche ich mich zu ändern. Denn ich weiß genau, daß es viel mehr Dinge gibt, als ich kennengelernt habe. Und ich möchte den Weg zu ihnen finden, damit ich in Frieden und ungestört von äußeren Einflüssen auf das horchen kann, was in mir ist.

Erster Teil

NORWEGEN

MEINE WIRKLICHKEIT setzt sich in diesem Winter aus vielerlei Dingen zusammen. Auch das gehört dazu: Ich erwache aus einem Halbschlaf. Wir fliegen unser Ziel an. Die Sonne verschwindet hinter hohen Bergen. Tief unten gehen in Tausenden von Fenstern Lichter an, Leuchtreklamen flammen auf. Einen Augenblick lang weiß ich nicht mehr, wohin ich unterwegs bin. Städte ähneln einander wie die Flugzeuge, die mich zu ihnen tragen. Es ist beunruhigend, wie bedeutungslos der jeweilige Bestimmungsort sein kann. Die gleichen Frauen und Männer stehen an den gleichen Ausgängen und begrüßen mich mit den gleichen Worten. Sie empfangen mich mit Blumen und sind bei aller Liebenswürdigkeit darauf bedacht, mich so schnell wie möglich in einen Wagen zu verstauen und zu irgendeinem Luxushotel zu bringen, wo sie mich absetzen können, um wieder nach Hause, zu ihrem eigenen Leben zurückzukehren. Eine Zimmerflucht mit Salon und Schlafzimmer, weiche, seidenbezogene Sessel, große Fenster, draußen Palmen und ein Swimming-pool.

Eisgekühlter Champagner mit den Empfehlungen der Direktion. Blumen und Obstkörbchen. Hoteldiener, die – sich unaufhörlich verbeugend – ein- und ausgehen, um mir mein Gepäck und die Post zu bringen oder Anrufe auszurichten. Lächelnde Gesichter und höfliches Benehmen und die gespenstische Unwirklichkeit, die alles umgibt.

Während ich strahlend lächle und mich bedanke.

Meine Wirklichkeit sieht aber auch so aus:

Die Maschine kreist über einer Stadt. Erwartungsvoll schaue ich in die Nacht hinaus. Ich weiß, daß es heiß ist. Für ein paar Tage kann ich Stiefel und norwegisches Homespun vergessen – ein wenig dünner Stoff genügt in dieser warmen Luft.

Ich werde wach sein, wenn zu Hause alles schläft.

Die Stewardessen sind emsig beim Aufräumen und laufen eilig umher; die erwartungsvolle Stimmung hat uns alle ergriffen.

Wir haben einen langen Flug hinter uns. Wir bekamen einen Film, Frühstück, Lunch und Abendessen geboten. Ein ständiges Hin und Her der Servierwagen mit Essen, Obst und eisgekühlten Getränken – und eine Decke, in die ich mich einwickelte, wenn ich schlafen wollte.

Ich versuche, mein Haar zu ordnen, und bin froh, daß Hollywood meine «natürliche Aufmachung» akzeptiert hat.

Für die Menschen zu Hause bricht bald ein dunkler Wintermorgen an, sie werden frieren und starre Füße bekommen, während ich unter einer Palme sitze und mit sinnlichem Wohlbehagen eine Abendluft genieße, wie es sie in Oslo niemals gibt. Ich werde in einem breiten, weichen Bett schlafen. Am Morgen von einem Kellner geweckt werden, der mich von früheren Besuchen kennt. Er wird die Vorhänge aufziehen und die Sonne in das Zimmer fluten lassen, einen Tisch mit dem Frühstück und frischem Orangensaft hereinschieben. Dann wird er sich nach Linn erkundigen. Wird mir eine hundert Seiten starke Zeitung geben und mir einen schönen Tag wünschen.

Ich brauche nicht viel, um mich für kurze Zeit glücklich und geborgen zu fühlen. Dazu muß der Mann, den ich liebe, nicht unbedingt bei mir sein. Oder Linn. Manchmal finde ich diese Geborgenheit in mir selbst.

ALS ICH KLEIN WAR, faszinierte mich der Mond. Nie gleichbleibend, schaute er dennoch verläßlich zu mir herein. Wann immer ich nachts aufwachte, hing er da, bleich und geheimnisvoll.

Wenn nach dem Neumond eine schmale Sichel zu sehen war, trat ich ans Fenster und verneigte mich dreimal vor ihr. Dann ging mir ein Wunsch in Erfüllung. Hatten mich böse Träume geplagt, so bat ich den Mond, mir die Menschen, die ich liebte, zu erhalten.

Papa hatte mich verlassen.

Ich weiß noch, wie ich vor der Operation, die seine letzte sein sollte, bei ihm saß. Ärzte und Krankenschwestern kamen und gingen − um uns herum herrschte eine Atmosphäre geschäftiger Vorbereitungen −, und doch schien es mir, als wären wir allein. Als er sich mit einer seltsamen Stimme von mir verabschiedete, wußte ich, daß wir ein Geheimnis miteinander teilten. Ich war sechs, und ich versuchte, tapfer zu sein und nicht zu weinen.

Wir lebten in New York, als sich die beiden Telegramme über dem Atlantik kreuzten. Papa war an einem Gehirntumor gestorben, sein Vater in Dachau, ein Gefangener der Deutschen.

Ein paar Wochen später war in Europa Frieden, und wir fuhren auf einem der ersten Frachtschiffe, die auch Passagiere beförderten, nach Norwegen zurück. Wir nahmen auch Papas Urne mit. Der Kapitän war ständig betrunken; einmal sah ich, wie er ein Kätzchen über Bord warf.

In einer Kabine saß ein Blinder, der Bücher las, indem er seine Finger über eine Punktschrift gleiten ließ. Ich durfte es ausprobieren, und ich spüre noch heute, wie sich die Zeilen unter meinen Fingerspitzen anfühlten.

Ein paar kahle Klippen waren das erste, was ich von meiner Heimat sah. Mama brach bei ihrem Anblick in Tränen aus und rannte in ihre Kabine hinunter.

Sie war damals genauso alt, wie ich jetzt bin.

Ich bemühte mich lange, Papa im Gedächtnis zu behalten. Woran ich mich erinnere: wie stolz ich auf das neue Kleid war, das ich zum Begräbnis bekam, und daß alle Leute sehr nett zu mir waren und mich umarmten.

Aber er selbst – der Mann – nur wenige Bilder sind mir in Erinnerung geblieben.

Einmal trug mich jemand eine Treppe hinauf und legte mich behutsam auf ein Bett. Mein Kopf ruhte an seinem Hals.

Das muß Papa gewesen sein.

Ein Mann ging mit mir auf einer Landstraße spazieren. Er war groß und trug eine braune Lederjacke und sagte nichts, aber wir verständigten uns durch geheime Drucksignale mit den Händen.

Auch das muß Papa gewesen sein.

Mein Vater, der sechs Jahre lang in meinem Leben existierte, hinterließ keine einzige konkrete Erinnerung in mir. Nur eine große Lücke, einen so tiefen Einschnitt, daß viele spätere Erlebnisse dort hineinstürzten. Die Leere, die durch Papas Tod in meinem Dasein entstand, war wie ein Hohlraum, in dem sich nach und nach Erfahrungen sammeln sollten.

In Trondheim, als ich noch klein war, nahm mich meine Mutter oft auf den Schoß und erzählte mir, wie schön wir es in Amerika gehabt hatten. Sie zeigte mir Fotos von Sommertagen mit Kindern und einem Mann und einer Frau, die die Arme umeinandergelegt hatten. Papa angelte, baute eine Feuerstelle und eine Latrine, während Mama Blumengirlanden wand und sie uns anstelle von Kleidern um Hals und Taille schlang. Ich war traurig, weil diese Zeit nie wiederkehren würde.

Wir gingen jeden Sonntag zu seinem Grab, mit Blumen, Kerzen oder einem kleinen Kranz. Mama sah immer betrübt aus. Ich fand es schrecklich, vor einem kalten weißen Stein zu stehen und so zu tun, als wäre er Papa.

Eines Tages begrub ich alle meine Puppen in seinem Grab. Ich wollte nicht, daß er dort allein läge. Ich stahl Blumen von anderen Gräbern, um den Fleck Erde für Papa und die Puppen auszuschmücken.

Die Erwachsenen waren alle sehr zornig. Und Mama fand für den Tod Worte, die ihn für mich so schön wie die Liebe machten.

Ich hoffte, ich würde bald sterben.

Auch Linn hat einen Vater, der eine braune Lederjacke trägt. Eines Tages, sie ist gerade fünf, beobachte ich die beiden. Sie stehen auf einer Straße nebeneinander. Eine Kinderhand sucht die des Vaters. Das erste Zusammensein nach einem vollen Jahr. Zutrauen und Stolz in dem strahlenden Gesichtchen. Gleich werden sie Hand in Hand dastehen, und dann können alle Leute sehen, daß sie mit ihrem Vater einen Spaziergang macht.

Er aber ist in ein Gespräch mit einem anderen Erwachsenen vertieft und hat das Kind an seiner Seite vergessen.

Langsam senkt sich der Arm – die Hand spielt mit einem Haarbüschel auf der Stirn. Ein verschlossener Ausdruck tritt in die Augen des Kindes. Und ich, die Zuschauerin, erkenne, wie unsere Tochter sich mit dieser Erfahrung in sich selber zurückzieht.

Mein erstes Schuljahr besteht in meiner Erinnerung aus langen Stunden, in denen ich nur dasitze und beklommen auf die Pause warte. Manchmal machten wir Gruppenspiele, aber oft brachte die Pause nur endlose Minuten einsamer Verzweiflung, in denen ich mir den Anschein gab, als sei ich mit etwas beschäftigt, das ich lieber allein tun wollte.

Schneeballschlachten im Winter. Die Angst, wenn die größeren Jungen meinen Kopf in den Schnee drückten.

Ich war klein und zart. Aber ich war die einzige in der Schule, die auf der Lenkstange eines Fahrrads einen Handstand machen konnte.

Einmal setzte ich einen Zettel in Umlauf, auf den ich geschrieben hatte: «Livs Vater war ein Säufer.» Ich hoffte, die anderen würden Mitleid mit mir haben und sich fragen, wer etwas derart Gemeines schreiben konnte.

Mama erzählte meiner Schwester und mir oft von der Zeit, in der sie nicht allein war, in der sie nachts neben einem Mann schlief, der sie liebte. Ein Glückszustand, um den sich immer wieder die Phantasie zweier Töchter rankte. Manchmal hörte ich sie im Wohnzimmer weinen. Das war sonderbar und erschreckend. Ich hatte geglaubt, Erwachsene wären nie ängstlich und unsicher. Sie hätten ihre Jobs und ihre Parties und tätschelten dann und wann Kinderköpfe. Beugten sich von ihrer Erwachsenenwelt, in der sie ihr ganzes Leben zugebracht hatten, herunter und sahen mich mit allwissenden, alles begreifenden Augen an. Wenn ich mich auf Zehenspitzen hereinstahl und Mama zu trösten versuchte, schob sie mich fort und sagte, ich sei noch zu klein, und wenn ich ganz artig sei, bekäme ich anderntags etwas Schönes.

Ich legte mich sehr oft in einem Kleid meiner Schwester schlafen und hoffte, daß während der Nacht ein Prinz erschiene und mich mitnähme.

Und oft saß ich am Fenster und hielt Ausschau nach einem Mann in einer braunen Lederjacke.

Der Heimweg von der Schule. Ein paar Mädchen, die vor einer alten Backsteinmauer kauerten. Ringsum hohe Bäume, die in uns die phantastische Vorstellung erweckten, wir wohnten in einer verzauberten Burg, aus der uns vielleicht nie jemand befreien würde.

Geflüsterte Unterhaltungen über all das, was nachts vor sich ging, während wir schliefen. Tote, die zurückkehrten und die Lebenden berührten. Bleiche Gespenster, die man nie mehr vergessen konnte.

Es gab Träume und Gedanken, die mir nicht mehr gegenwärtig sind.

Die erste blaue Anemone. Ein Hang, der ganz plötzlich mit Farbe überzogen war, wo wir noch am Vortag nur Gras gesehen hatten. Hinaufsteigen und dort oben sitzen, der Welt entzogen und doch so froh, ein Teil von ihr zu sein.

Ich weiß, daß ich an jeder Biegung meines Schulweges, der mir rückblickend so grau und öde vorkommt, etwas Neues erlebte.

Weihnachten gehört zu meinen schönsten Erinnerungen. Ich sehe uns in der Kathedrale sitzen und den Orgeltönen lauschen, die in jeden Winkel des großen Kirchenschiffes vordrangen. Frierend über den Munkegaten gehen, der damals noch Kopfsteinpflaster hatte. Rechts und links von uns andere Familien, die genauso glücklich waren wie wir.

Und wieder zu Hause. Der köstliche Geruch von Schweinebraten und saurem Kohl. Das Warten in einem halbdunklen Raum, wo meine Schwester und ich auf dem Boden saßen – ungeheuer aufgeregt, weil wir wußten, daß im Wohnzimmer der Baum geschmückt wurde. Das Rascheln von Papier und eilige Schritte, die Geheimnisvolles verkündeten.

Wenn sich dann endlich die Tür öffnete und wir Kinder den hohen Weihnachtsbaum sahen, der mit seinen brennenden Kerzen in der Mitte des Raumes stand, wurde uns ganz schwindlig vor Freude.

Mama am Klavier. Viel jünger, als ich mir damals klarmachte. Mit Sehnsüchten, die ich erst jetzt begreife, wo es zu spät ist, um sie mit ihr zu teilen.

Geschichten vor dem Einschlafen. Kakao und Butterbrot mit Bananen und Apfelgelee. Eine Frau, die über ein Buch gebeugt dasitzt, den Kopf mit dem kurzen braunen Haar etwas von mir abgewandt. Hin und wieder schaut sie auf und lächelt.

Das war Glück.

ICH BIN IN Los Angeles. Vor vierundzwanzig Stunden stapfte ich noch in Oslo in Gummischuhen zum Theater, um die Nora zu spielen. Vier spielfreie Tage geben mir die Möglichkeit, einen Film in Hollywood abzuschließen.

Es war Winter, als ich in Norwegen das Flugzeug bestieg, und als ich zwanzig Stunden später in Kalifornien ankam, hatten wir 28 Grad.

Der Smog, der fast nie weicht, verdeckt die Spitzen der Wolkenkratzer und die Aussicht von den Hügeln. Wenn ein Mensch hier tot aufgefunden wird, zeigt sich unfehlbar bei der Autopsie, ob er sich weniger als drei Wochen in der Stadt aufgehalten hat. So lange dauert es, bis diese verseuchte Luft in den Körper eindringt und für alle Zeit Besitz von ihm ergreift.

Es ist Sonntag. Ich liege in einer Hängematte, die zwischen zwei Palmen angebracht ist. Die Sorgen und Aufregungen der Welt erreichen diesen Winkel nicht, wo mich blühende Rosen und grüne Rasenflächen umgeben, aus offenen Fenstern leichte Musik dringt und ein Freund mir ein kaltes Mixgetränk aus den Früchten des Gartens bringt. Ein paar Flugstunden trennen mich von der Wirklichkeit. Keine Anrufe, keine drückenden Verpflichtungen.

Frieden.

Ich schlafe in der Hängematte ein und träume, ich sei Nora, die auf dem Sunset Boulevard eine Tarantella tanzt.

Wir essen mit Freunden zu Abend. Er ist Produzent und hat gerade seinen ersten bedeutenden Film beendet. Sie gehört zu jenen Ehefrauen, die nur für die Karriere ihres Mannes leben. Sie wohnten ein paar Jahre in New York und sind nun nach Los Angeles gezogen. Sie haben ein

Haus gekauft, das sie sich nicht leisten können. Sie suchen die Gesellschaft und Bekanntschaft von Menschen, die sie eigentlich gar nicht interessieren. Pflegen Kontakt zu Männern und Frauen, mit denen sie nur eines gemein haben – die Hoffnung, daß sich ihre Beziehung einmal als nützlich erweist. Manche Leute fühlen sich vereinsamt, können es einfach nicht ertragen, wenn sie sich nicht in den «richtigen Kreisen» bewegen, und schlagen um sich und gebärden sich wie toll, um dort Aufnahme zu finden; sie demütigen sich und nehmen Schaden an ihrer Seele auf dem Weg zu einem Ziel, das eigentlich gar nicht existiert.

Der Produzent hat schwere Zeiten durchzustehen. Und seine Frau macht, sobald sie in Gesellschaft sind, in ihrer Unsicherheit so krampfhafte Anstrengungen, daß sie die Menschen abschreckt, deren Kontakt sie sucht. Sie erzählt ihnen, ihr Mann sei ein Genie, er würde sie einmal alle übertreffen, würde die besten Filme machen, das meiste Geld verdienen – und wo immer es ihm an Kraft fehlen sollte, würde sie sie beisteuern.

Ich hatte sie zuletzt vor einem Jahr gesehen, die Veränderung ist auffallend. Damals waren sie gerade aus New York gekommen, wo sie recht glücklich gelebt hatten. Sie war vielleicht etwas zu füllig, hatte aber wunderschönes schwarzes Haar und sah dem Leben in Hollywood voller Erwartung entgegen. Jetzt ziehen sich scharfe kleine Falten um ihren Mund. Sie ist nervös und raucht ununterbrochen.

Sie sprechen begeistert von den Parties, auf denen sie waren, von ihren Plänen und Bekannten. Daß sie zehn Kilo abgenommen hat – man erkennt sie kaum wieder, nicht wahr?

Physisch wirkt sie nicht mehr so vital und temperament-voll. Eher hilflos und ein bißchen pathetisch. Sie hat ihr Haar rötlich färben lassen, und sie redet unentwegt, als wüßte sie gar nicht mehr, was sie sagt. Sie tut mir entsetz-lich leid. Mein Beschützertrieb regt sich. Sie hat so hervor-ragende Eigenschaften, die bei dem Leben, für das sie und ihr Mann sich jetzt entschieden haben, völlig verkümmern werden. Ich glaube, sie wird jedesmal, wenn ich ihr begeg-ne, eine andere Person sein. Die unmöglichen Zukunfts-pläne, die sie schmiedet. Ihr spürbares Verlangen nach Freundschaft, während sie nützlichen Verbindungen nach-jagt. Einsamkeit am Swimming-pool und in dem großen, neuen, noch sehr spärlich möblierten Haus. Keine Kinder. Früher wollten sie einfach nur zu zweit sein. Jetzt haben sie ihre Karriere. Der amerikanische Traum. Erfolg. Sie träumt davon, an der Seite ihres Manns zu den einflußrei-chen Leuten der Filmstadt zu gehören. Zur A-Gruppe. Bei Tisch schiebt sie ihren Arm durch den meinen, und wir schwatzen über Nichtigkeiten.

Ich merke, wie sehr ihr eine Freundin fehlt – ich merke es an dem Schwall Vertraulichkeiten, die sie mir ins Ohr flüstert.

Die Drinks werden hereingebracht. Sie lächelt und er-mutigt ihren Mann. Erzählt uns, wie clever er ist, wie groß-artig er ist, wie stolz sie auf ihn ist.

Die Angst sitzt mit uns bei Tisch – und mir schaudert bei dem Gedanken, ihr in zehn Jahren wiederzubegegnen.

ICH WAR ACHT, und Mama hatte eine Stellung in einer Buchhandlung angenommen.

So kam Karen zu uns.

Ich weiß nicht, wie alt sie war. Aber ich erinnere mich, daß sich viele Bewerberinnen auf die Zeitungsannonce hin bei uns eingefunden hatten. Sie drückten sich verlegen im Vorzimmer herum. Plötzlich nahm eine von ihnen ihren Hut ab, marschierte ins Wohnzimmer, setzte sich in den besten Sessel, lächelte breit und hatte einen Ausdruck im Gesicht, der besagte, die Sache sei abgemacht.

Das war Karen.

Mama getraute sich nicht, etwas einzuwenden, als Karen verkündete, daß sie sich in dem Augenblick, als sie «die Gnädige» sah, für die Stellung entschieden habe.

Ich fand sie sehr dick und sehr häßlich. Und ich liebte sie.

Sie hatte ihre neue kleine Familie gern – am meisten vielleicht Mama. Es war, als verstünde sie besser als jeder andere, was Mama in ihrem Kreis verheirateter und wohlhabender Freunde vermißte, und sie stellte Mama vom ersten Tag an auf ein Podest. Sie übernahm den gesamten Haushalt, ohne daß man es von ihr verlangt hätte. Sie bestand darauf, daß «die gnädige Frau» frei sein und sich entspannen sollte, wenn sie aus der Buchhandlung nach Hause kam.

Manchmal ging Karen mit meiner Schwester und mir spazieren. Wir waren überzeugt davon, daß sie das tat, um von den Leuten für unsere Mutter gehalten zu werden. Ich hatte immer Angst, sie könnte damit Erfolg haben.

Sie trug so sonderbare Kleider und hatte ein vorspringendes Kinn und schwerfällige, plumpe Bewegungen, und ich lief immer etwas voraus oder trottete hinter ihr her. Niemand sollte sie mit mir in Verbindung bringen.

Sie nahm uns oft mit in eine Molkerei, wo wir kuhwarme Milch trinken mußten. Es war greulich.

Ich erinnere mich an Karens Geruch. Sie war ständig am Brotbacken und am Scheuern mit Boraxseife. Ihr Körper war umfangreich und warm, wenn man sich dagegen lehnte. Einmal weinte sie in der Küche, weil ihr sämtliche Zähne gezogen worden waren. Es dauerte eine ganze Woche, bis ihr ein Gebiß eingesetzt werden konnte. Mit ihrem eingefallenen Mund sah sie wie eine Fremde aus. Ich ging ihr soweit wie möglich aus dem Wege, was zur Folge hatte, daß sie, hörbar schniefend, nur noch mehr Tränen vergoß.

Sie konnte nicht gut vorlesen und sprach überhaupt nur wenig. Aber ich habe mich nie in meiner Kindheit glücklicher und geborgener gefühlt, als wenn Karen abends Kakao kochte und sich mit uns an den Küchentisch setzte – zufrieden lächelnd, weil auch *sie* zur Familie gehörte.

Nur einmal besuchten wir sie in ihren eigenen vier Wänden. Wir hatten einen Sonntagsspaziergang gemacht und kamen an dem hohen, grauen Häuserblock vorbei, wo sie wohnte. Mama fand, wir sollten sie einmal überraschen.

Karens Beklemmung und Unsicherheit. Ein kleines dunkles Zimmer, auf dem einzigen Tisch eine Heizplatte, übereinandergetürmtes Geschirr und Toilettengegenstände. Zeitungen auf den Stühlen, ein Fenster, das auf eine weiße Mauer hinausging, die kaum eine Armlänge entfernt war. Ein schmales Bett – ich fragte mich, wie Karens dicker Körper je Ruhe darin finden konnte.

Sie machte uns Kaffee, Mama bestritt die ganze Unterhaltung. Karen sah erleichtert aus, als wir uns verabschiedeten.

«Das hat Karen bestimmt sehr gefreut», meinte Mama.

Jeder erlebt die Dinge anders.

Karen starb eines Nachts in diesem schmalen Bett im
Schlaf. Ich vergoß mehr Tränen über ihren Tod als über
den meines Vaters.

Der Gedanke quält mich, daß sie vielleicht wußte,
warum ich auf der Straße immer vor oder hinter ihr herlief.

EIN ARBEITSTAG in Hollywood. Ich bin hier, um für den Film, dessen Premiere bevorsteht, zwanzig Zeilen Text nachzusynchronisieren.

Dem Produzenten ist der Vorabend nicht bekommen, er hat sich mit seinem Kater in eine Ecke des Studios geflüchtet. Der Regisseur ist an seinem Platz. Sieben Techniker sitzen schweigend hinter einer Glasscheibe. Überall Mikrophone und Kabel.

Es ist Jan Troells erster amerikanischer Film. Er steht mitten im Raum und bewegt seine kräftigen Arme schwungvoll hin und her. Eine Hand hält einen unsichtbaren Tennisschläger fest. Abends wird er mit einem Ex-Weltmeister trainieren. Arme hochschwingen – Fersen leicht vom Boden abheben – Rücken durchbiegen – und Aufschlag! Niemand wundert sich über sein etwas ungewöhnliches Benehmen.

Der Produzent rührt sich den ganzen Morgen nicht vom Fleck. Er hat einen roten Bart, der ihm nicht steht, und gütige Augen. Er hängt goldenen Träumen nach. Mit dem Film, an dem wir arbeiten, hat er es als Produzent entweder geschafft, oder er ist erledigt. Wenn alles gut geht, wird er sein Haus bezahlen, sich einen eigenen Tennisplatz leisten können, Geld für einen neuen Film bekommen, die Schauspieler unter Vertrag nehmen können, die er haben will. Sein unscheinbares Äußeres wird ihm nicht mehr hinderlich sein.

Ich denke an tausend Kleinigkeiten – an all das, was ich noch tun muß, bevor ich nach Oslo zurückfliege, wo das Theater auf mich wartet.

Und während wir uns offenbar alle mit ganz anderen Dingen beschäftigen, entstehen zwanzig Zeilen Dialog.

Eine ganze Reihe von Leuten haben sich zum Mittagessen versammelt. Neue Filmprojekte werden erörtert. Der Erfolg wird an der Anzahl der Angebote gemessen, die man erhält. Je höher die offerierte Gage ist, desto mehr Produzenten rufen den Agenten des Schauspielers an und bieten noch mehr.

Das ist Hollywoods Art, über das Wetter zu reden.

Ein älterer Schauspieler bleibt an unserem Tisch stehen. Er ist Deutscher. Ein Wortschwall ergießt sich über mich: Seine Frau hat ihn und ihre fünf Kinder verlassen. Er spricht im Flüsterton, während er nervöse Blicke um sich wirft; er gibt mir zu verstehen, daß ich die einzige bin, die er ins Vertrauen zieht. Doch man merkt, daß er seine Geschichte schon viele Male erzählt hat. Allen, die Zeit haben, sie sich anzuhören.

Er kann es nicht begreifen. Er hatte geglaubt, sie wären so glücklich. Sie hatte dieses zauberhafte Haus. Es lag zwar ein bißchen einsam – das mußte er zugeben –, aber es war so schön, und schließlich war sie ja nie allein, mit den vielen Kindern hatte sie doch genug zu tun.

Immer war er gut zu ihr gewesen, verliebt in sie, hatte alles Erdenkliche getan, um sie glücklich zu machen. Vielleicht war er zu oft weg, reiste zu viel herum. Aber was sollte er denn machen, wenn er in der Filmstadt selbst keine Arbeit finden konnte?

Jetzt ist sie fort, und wie er mir im Vertrauen sagt, ist er überzeugt davon, daß sie schon immer verrückt war. Er hatte es nur nie gemerkt. Er war viel zu gutgläubig gewesen. Aber jetzt würde er sie für geistesgestört erklären lassen, damit sie nicht irgendwann wieder auftauchen und Ansprüche auf die Kinder erheben konnte. Würde ich bei einer Scheidung vor Gericht als Zeugin aussagen?

Er ist hager, und seine Hände zittern. Vor Jahren war er ein blendend aussehender Mann, den viele Mädchen zu kapern versuchten. Und die jüngste von ihnen hatte er schließlich geheiratet. Kinder waren gekommen, jedes Jahr eines – und beide hatten darauf gewartet, daß irgendwann auch das Glück folgen würde. Etwas, das einem Ruhe und Geborgenheit schenkte. Jetzt werden sich die beiden vor dem Scheidungsrichter wiedersehen. Und vor ein paar gleichgültigen, gelangweilten Anwälten werden sie all das ausbreiten, was sie bisher nicht voneinander gewußt hatten.

Jeden Samstag veranstaltete ich im Turnsaal unserer Schule eine Theateraufführung. Ich schrieb die Stücke, führte Regie und übernahm die besten Rollen. Doch sehr bald vernachlässigte ich meine Vorbereitungen derart, daß das Ensemble vor dem Publikum improvisieren mußte. So kam es, daß meine weiteren Inszenierungen nur noch sehr schwach besucht waren.

Aber das war nicht wichtig. Wofür brauchten wir ein Publikum? Wir hatten unser eigenes Vergnügen: das Schminken, die Kostüme, die unendlichen Möglichkeiten, die sich unserer Phantasie boten. Nie wieder hat das Theater so viel Spaß gemacht. Nie wieder werde ich zu dem geschriebenen Wort eine so starke Beziehung haben. Das Lachen und die Tränen; die Solidarität mit den anderen, die genau wie ich ihre geheimen Träume auf den kahlen Brettern des Turnsaals auslebten.

Der magische Augenblick, als Thalia einem kleinen Mädchen zum erstenmal ihre zwei Gesichter zeigte.

Der Kinobesuch an dem Tag, an dem man Taschengeld erhielt. Schlangen von Menschen, die bis um die nächste Hausecke anstanden, machten das zu erwartende Vergnügen noch begehrenswerter, weil es so mühevoll zu erreichen war.

Ich weiß nicht mehr, was ich damals gesehen habe, aber die Emotionen, die Erregung, der Geruch sind mir noch gegenwärtig. Das Klingelzeichen, die allmählich verlöschenden Lichter. Die Augen hielt ich fest geschlossen, bedeckte sie noch mit den Händen, und wenn ich sie dann wieder aufmachte, war das Wunder bereits auf der Leinwand zu sehen.

Diese Bilder, eine Flucht aus der Wirklichkeit in die Welt der Träume; Erlebnisse und Menschen, von denen ich glaubte, sie würden irgendwann einmal zu meinem Alltag gehören. Tragödien von solchen Ausmaßen, daß noch Stunden danach die Kehle wie zugeschnürt war. Märchen, so schön, daß ich wie auf Wolken nach Hause ging.

Das Wunder von Mailand. Limelight. Ich sah diese Filme zehn- oder zwanzigmal, ohne daß sie etwas von ihrem Reiz eingebüßt hätten. Helden und Heldinnen. Menschen, die entweder gut oder böse waren. Fast nie alltäglich und langweilig wie die, die ich in Trondheim kannte.

Und Liebe.

Ich sehnte mich danach, sie so zu erleben, wie ich sie auf der Leinwand sah: Eng an einen Mann geschmiegt dastehen, der, in weißem Hemd und mit weißblitzendem Lächeln, zärtlich zu mir herunterschaute und mir dieselben Worte zuflüsterte wie der Filmheld der Frau seines Herzens.

Geigenklänge hören, wenn er mich küßte.

Wenn ich nur etwas schneller erwachsen werden könnte... Mit einem besorgten Blick beäuge ich meinen flachen Busen.

AUF DEM FLUG von LOS Angeles zurück nach Norwegen haben wir einen zweistündigen Aufenthalt auf dem Londoner Flughafen. Ich habe eine wichtige Verabredung mit einem Freund, einem sehr begabten Schriftsteller.

Als privilegierter Erster-Klasse-Passagier darf ich in einer kleinen Wartehalle in weiche Kissen versinken und bekomme bei gedämpfter Musik etwas zu trinken serviert.

Wir sprechen über einen Film, den wir zusammen machen wollen. Er arbeitet schon ein paar Monate lang an dem Drehbuch. Karen Blixens Lebensgeschichte ist es, die unsere Phantasie gefangenhält. Eine Frau, die ihre Liebe zu einem Land in Worte faßte und so eines der literarischen Meisterwerke unseres Jahrhunderts schuf. Für mich ist das Projekt ein Weg, ihr nahezukommen. Viel über sie zu lesen, mit den Leuten zu sprechen, die sie kannten, mich wieder in ihre Bücher zu vertiefen. Ihr geliebtes Afrika zu besuchen. Ich werde ein Jahr meines Lebens drangeben, ihre Welt zu ergründen.

Das ist etwas, was ich wirklich gern tun möchte. Auch wenn mein Agent Einwände machen wird, weil die ganze Sache vielleicht keinerlei kommerziellen Erfolg verspricht. Die Zeit ist vorbei, in der jeder Film ein Abenteuer für mich war. In der ich unkritisch zu allem ja sagte. Ich sitze mit einem Mann zusammen, der nicht von Geld redet und mir auch nicht verspricht, daß mein Name vor dem Filmtitel plaziert wird. (Das ist natürlich der Gipfel alles Erreichbaren – etwas, wofür viele sogar eine geringere Gage in Kauf nehmen.) Es geht meinem Freund nicht nur um meine schauspielerischen Fähigkeiten, wenn er möchte, daß ich diese Rolle übernehme, sondern auch um das, was er in mir als Frau sieht.

34

Ich sage ihm, daß ich den Film sehr gern machen werde – auch ohne Gage.

Zeit zum Abflug.

Fort von dem Erste-Klasse-Warteraum, dem Schriftsteller, von Zukunftsplänen, von Hollywood. Ich bin nach Norwegen unterwegs, zum Theater, zu einer Abendvorstellung.

Ich bin glücklich.

Ich freue mich auf das Gefühl der Freiheit, das mich erfüllt, während das Publikum schweigt oder lacht. Es ist viel mehr dieser Kontakt, der mich belohnt, als der Applaus hinterher.

Lange, schmale Gänge und winzige, vollgestopfte Garderobenräume. Die Freude an der Teamarbeit. Der Geruch alter Möbel und Kulissen. Vertraute, vielgetragene Kostüme, die frischgebügelt auf mich warten, Rückkehr in ein Leben, das schon meines war, als noch kaum jemand etwas davon wußte.

ANGST VOR DER DUNKELHEIT. Ich war zwölf. Meine Schwester, zwei Jahre älter als ich, machte ihre ersten Schritte ins gesellschaftliche Leben, und Mama hatte einen sehr aktiven Freundeskreis. Ich war zu groß, um noch einen Babysitter zu brauchen.

Den ganzen Tag hindurch fürchtete ich mich schon vor dem Augenblick, wenn mir aus der Diele das letzte «Gute Nacht» zugerufen und ich, bereits im Bett, hören würde, wie die Tür zuschlug. Die erdrückende Stille. Die dunklen Winkel der Wohnung. Das Herzklopfen. Papas Foto unter meinem Kopfkissen. Auf dem Nachttisch eine Schale voll Wasser zum Befeuchten der Augen, damit sie offen blieben. Die Gefahr, einzuschlafen und von etwas Unheimlichem, das sich in den Schrecken der Nacht verbarg, angegriffen zu werden.

Und schließlich die Flucht ins Badezimmer. Die Erleichterung, sobald die Tür zugesperrt war. Ein Raum, in dem ich jede Ecke einsehen konnte. Eine Steppdecke und Bücher als Schutz. Dann ein erschöpfter Schlaf auf dem Badezimmerboden, bis der erste heimkam und an die Tür hämmerte und fragte, was dieser Unfug zu bedeuten habe.

EINE AUF TAXIS wartende Menschenschlange nach einer *Nora*-Aufführung in Oslo. Ich habe Gepäck, weil ich gerade erst aus dem Ausland zurückgekehrt bin. Es ist halb zwölf, ich bin sehr müde. Ein Arbeitstag in Hollywood, auf den ein zwanzigstündiger Flug und eine dreistündige Vorstellung folgten. Die Leute in der Schlange starren mich an, weil sie im Theater waren und mich im Kostüm gesehen haben. Ich bin jetzt nicht mehr in Hochform und starre, auf einem meiner Koffer sitzend, finster zurück. Beifall und Ovationen sind im Theater zurückgeblieben – auf den Zuschauersitzen und der Bühne. Jetzt sind Publikum und Schauspielerin scheu, auf der Hut voreinander.

Im Taxi tue ich so, als schliefe ich, um nicht mit dem Fahrer sprechen und seine Fragen beantworten zu müssen: Ist es nicht aufregend, so viel zu reisen, macht die Schauspielerei nicht ungeheuren Spaß, und bin ich denn jetzt nicht eine reiche Frau?

Erst als der Fahrer mich vor meinem Haus abgesetzt hat, entdecke ich, daß ich meinen Schlüssel vergessen habe. Linn ist nicht daheim, und ich sehe mich schon die Nacht mitsamt meinem Gepäck auf den Stufen zubringen. Ein modernes «kleines Mädchen mit den Schwefelhölzern», das in der Winterkälte erfriert – mit Scheckbuch und Schmuck im Koffer.

Meine Nachbarin hat einen Zweitschlüssel. Ich gehe die paar Meter zu ihrer Haustür. Ein lachendes Gesicht am Fenster, als ich klingle – dann ein anderes: das ihres Mannes. Sie kommt an die Tür, lächelt und plaudert, als hätte ich sie nicht zu nachtschlafender Zeit gestört. Sie trägt ein geblümtes kurzes Nachthemd. Ihre hübschen Beine sind nackt, und sie hüpft von einem aufs andere, weil es so kalt ist.

Ich bekomme meinen Schlüssel; ihr Mann klopft ans Fenster und winkt mir zu. Sie tritt hinter ihn und legt ihm die Arme um den Hals. Vielleicht waren sie gerade dabei, sich zu lieben, als ich kam.

Ich sperre meine Haustür auf, gehe gleich zu Bett. Fühle, daß ich von etwas ausgeschlossen bin, das lebenswichtig ist. Die innere Furcht vor der Einsamkeit: nur das, was andere haben, ist Wirklichkeit.

TANZSTUNDE. Dreizehn Jahre, mager und linkisch, kurzgeschnittenes Haar.

Heute noch habe ich gegen die Melodien der damaligen
Zeit eine Aversion. Eine Erinnerung an Jungen in weißen
Hemden, die über den Tanzboden stürmten, wenn die
Lehrerin in die Hände klatschte und sagte: «Bitte engagie-
ren!»

Immer dieselbe kleine Gruppe, dieselben Mädchen, die
so taten, als dächten sie an etwas anderes, wenn sie sich
setzten und der Tanz ohne sie begann. Um beim nächsten
Tanz wieder aufzustehen und zu sehen, wie die Jungen im
Schneckentempo angeschlichen kamen, weil sie nun zuerst
aufgefordert werden mußten.

Die Elviras meiner Generation.

Die nie erkannten, daß sie Tausende von Schicksalsge-
fährtinnen auf der ganzen Welt hatten, junge Mädchen wie
erwachsene Frauen. Dreizehnjährige, die überzeugt waren, daß sie ihr Leben lang Mauerblümchen bleiben würden. Weil jede ihre Erfahrung für einzigartig hielt.

Die Lehrerin zierlich und elegant. Sie tanzte, als sei es
ein Kinderspiel, sich einem Rhythmus anzupassen; es
gehörte zu ihr wie die übereinandergetürmten Löckchen
auf ihrem Kopf und die Bleistiftabsätze ihrer Schuhe. Sie
trug stets neue, hübsche Kleider und glitzernden Schmuck
an Ohren, Hals und Fingern. Der Busen, die schmale Taille
über den wohlgeformten Hüften und die langen roten Fingernägel versetzten dem ohnehin dürftigen Selbstbewußt-
sein der Dreizehnjährigen den Todesstoß.

Die ängstliche Verlegenheit während der Tanzpausen.

Der Heimweg, wo alle anderen in Gruppen oder Pär-
chen fortzugehen schienen. Ein Vorgeschmack des Ge-

fühls der Verlassenheit, das die Frau überkommt, wenn sie allein ist, wenn es Sonntag ist und alles um sie herum lebt und Gemeinsamkeit und Familie atmet.

Der erste Ball, den ich, im abgelegten rosafarbenen Seidenkleid meiner Schwester, in der Damentoilette verbrachte.

Ich akzeptierte meinen Mißerfolg als verständlich und vollkommen. Sah mich den Rest meines Lebens als Außenseiter zubringen. Wenn möglich aber hinter einer verschlossenen Tür – damit es niemand merkte.

JEDEN TAG versuche ich zu schreiben. Das ist sehr schwierig zu Hause, wo es Telefonanrufe, Linn, Kindermädchen, Nachbarn gibt. Für einen Mann wäre es anders. Der Beruf eines Mannes wird viel mehr respektiert, aber auch die Arbeit, die er zu Hause erledigt; jeder begreift, daß er manchmal abgespannt ist, daß er Ruhe braucht und die Möglichkeit, sich zu konzentrieren.

Doch man versuche einmal einem Kind zu sagen, daß *Mama* arbeitet, wenn das Kind mit eigenen Augen sehen kann, daß sie lediglich dasitzt und schreibt. Man erkläre dem Kindermädchen, das großzügig dafür bezahlt wird, einen zu entlasten, daß diese Arbeit wichtig ist, daß sie bis zu einem bestimmten Termin fertig sein muß – und kopfschüttelnd verschwindet es, überzeugt, daß ich mein Kind und meinen Haushalt sträflich vernachlässige. Erfolg im Beruf und der Versuch, ein Buch zu schreiben, wiegen häusliche Unzulänglichkeiten, die so evident sind wie die meinen, nicht auf.

Ich sitze im Erdgeschoß und hämmere auf meine Schreibmaschine ein. Bis mich das schlechte Gewissen nach oben in die Küche treibt. Ich trinke mit dem Mädchen Kaffee, lese Linn etwas vor und bin am Telefon so höflich, als hätte ich unbegrenzt Zeit.

Aber innerlich koche ich vor Wut. Und ich staune, daß so viel Zorn hinter einer so sanften Fassade verborgen bleiben kann.

Anrufe aus Amerika, aus Paris und England und Oslo. Ich erwarte nur einen einzigen, doch das zwingt mich, sie alle auf mich zu nehmen. Die Nurse geht nie ans Telefon – sie kann kein Englisch.

Mein Verleger schlägt mir vor, den Telefonstecker aus

der Wand zu ziehen. Aber der Apparat klingelt nach wie vor, denn er wurde falsch installiert. Wenn ich das Ding in den Schrank stelle, klingelt die Wand. Es ist ziemlich schwer, unter solchen Bedingungen zu schreiben.

Ich laufe ans Telefon, ich spreche mit Kalifornien, wo es Nacht ist und die Luft so mild und exotisch. Hier scheint die Sonne – auf der Fichte vor meinem Fenster liegt Schnee. Ich sitze in meiner Welt und spreche mit einer anderen. Ich bekritzle ein Stück Papier, und mein Gewissen quält mich. Weil ich eine schlechte Mutter bin, weil ich mich um so vieles nicht kümmere, keine Briefe beantworte, schadhafte Wasserhähne monatelang tropfen lasse.

Ich trinke mit einer Nachbarin Kaffee und bringe Entschuldigungen vor für alles, was ich tue, weil ich weiß, daß sie nie verstehen wird, warum es wichtig für mich ist. Dieses schreckliche «Schuldbewußtsein der Frau». Ich wage nicht, Musik zu hören, wenn ich im Erdgeschoß schreibe, weil sie im ersten Stock sonst denken, ich sitze hier nur faul herum. Um respektiert zu werden, müßte ich wohl Pfannkuchen und hausgemachtes Brot backen und gepflegte, aufgeräumte Zimmer vorweisen.

Diese Gedanken gehen mir durch den Kopf, während ich zu beschreiben versuche, wie schön es ist, ein Leben zu haben, das einem so viel Freiheit, so viele Möglichkeiten gibt: «Ich kann frei sein, wenn ich es will, ich kann mein eigener Schöpfer, mein eigener Führer sein. Meine Entwicklung und meine Entfaltung hängen davon ab, wie ich mich im Leben entscheide, wenn ich eine Wahl treffen muß. In mir liegt bereits meine Zukunft begründet.»

Das Telefon klingelt. Das Mädchen klopft an die Tür

und kommt herein, ehe ich etwas sagen kann. Sie hat ein Loch in Linns Hose entdeckt.

Ich lache in das Telefon hinein und erörtere danach ausführlich, ob das Loch gestopft oder ein Flicken aus buntem Stoff aufgenäht werden soll.

DIE SCHULZEIT. Fächer, Unterrichtsstunden – ich habe mehr oder weniger vergessen, was wir damals lernen mußten. Alles, was mir für mein späteres Leben unnütz schien, habe ich in die hintersten Winkel meines Gedächtnisses verbannt, wo die ganze vergeudete Zeit, alle Fehlschläge und Dummheiten einen harten kleinen Klumpen bilden, den ich ab und zu spüren kann.

Es fällt mir leichter, mich auf visuelle Eindrücke zu besinnen: die Farbe der verschiedenen Lehrerpulte, die drohend in den Klassenzimmern standen und auf denen ein langer brauner Zeigestock lag. Kreide, die entweder in der Hand zerbrach oder unangenehm auf der Tafel quietschte.

Wollhandschuhe, die wir in den Handarbeitsstunden stricken mußten, Turnhosen und Schulschürzen, die zwischen meinen schwitzenden, widerstrebenden Fingern immer schmutziger wurden. Flüsse und Grenzverläufe und Gebirgsketten, die ich vor mich hinleierte, um sie auswendig zu lernen – an einem Tag zungenfertig aufgesagt, am nächsten völlig vergessen.

Kochunterricht: Herde putzen, warmes Blut für Blutwurst schlagen, den Boden schrubben. Eine Lehrerin, die immer so wütend auf mich war, daß ich nie meine Alternativlösung bedauerte, mir einmal kochendes Wasser über den Fuß gegossen zu haben, um die Stunde im Krankenhaus zu verbringen. Fortwährende Ermahnungen: «Mit dem Kopf auf den Armen kannst du nicht denken.» (Als Erwachsene habe ich immer am besten denken können, wenn ich den Kopf auf die Arme legte.) – «Du wirst ein Krüppel, wenn du mit übergeschlagenen Beinen dasitzt.» (Ich schlage meine Beine noch heute sogar zweifach übereinander.)

Am Ende verabscheute ich die Schule so sehr, daß ich ständig krank spielte und zu Hause blieb, in dem Glauben, ich hätte Mama davon überzeugt, daß ich wirklich eine Erkältung oder Leibschmerzen hatte. Bis sie eines Tages mit einem Kinderpsychologen und einer Krankenschwester in mein Schlafzimmer kam. Während Mama im Hintergrund weinte, zog mich die Krankenschwester an, und der Psychologe redete mit sanfter Stimme eine Menge Unsinn. Dann fuhren sie mich ins Krankenhaus.

Dort lag ich dann in einem großen Saal voller Kinder, die wirklich krank waren – Herzleiden, Gehirnoperationen, ein schreiendes Baby –, und wurde öffentlich als Schulschwänzerin zur Schau gestellt. Von der Verachtung gepeinigt, die die Schwestern meiner rotbackigen Gesundheit bezeigten, hüpfte ich eines Tages aus dem Fenster und rannte in meinem Pyjama im Garten herum, umarmte einen meditierenden Arzt in weißem Kittel und fragte ihn mit Tränen in den Augen, ob er mein Vater sein wolle. Dieser rührende Auftritt zeitigte sofort ein Resultat: Ich wurde in ein Einzelzimmer verlegt und galt nun als wirklich krank. Die ganze Klasse schrieb Briefe, Mama saß mit einem besorgten Ausdruck in den Augen neben meinem Bett, und der Kinderpsychologe fragte, ob ich denn nicht verstünde, daß alle nur mein Bestes wollten. Die Schule – die gesamte Schule – vermisse mich, und Mama vermisse mich, und meine Schwester vermisse mich, und ob ich denn nicht verstünde, daß ich allen Beteiligten große Sorgen gemacht hätte. Als ich ihm versicherte, daß ich es verstünde, erklärte er Mama, er habe mich geheilt, und zu mir sagte er, ich dürfte jetzt wieder heimgehen und möge lieb zu Mama und in der Schule fleißig sein. Ich gab ihm die Hand, machte einen artigen Knicks und zeigte mein sanftestes Lächeln, während ich ihm für alles, was er für mich getan hatte, dankte. Besonders aber dafür, daß er so völlig unerwartet in mein Schlafzimmer gekommen war und mich ins Krankenhaus gebracht hatte.

Später nahm ich mir vor, ein Wunderkind zu werden, nur um es ihm zu zeigen. Ich wollte ein Buch schreiben, das die ganze Welt in Staunen versetzen würde. Es sollte ein trauriges Buch sein, und jeder würde sich fragen, wie es möglich war, daß ein so junges Mädchen ein derart tiefgründiges und melancholisches Buch schreiben konnte.

Zwei meiner Lehrer aus der Volksschule und dem Gymnasium sind mir in guter Erinnerung geblieben. Es gab natürlich noch andere, die sympathisch waren, doch zu diesen beiden hatte ich auf eine stille Art einen besonders engen Kontakt. Der erste schrieb einmal unter einen meiner Aufsätze: «Liebe Liv, du hast viel Phantasie und die ungewöhnliche Fähigkeit, ihr Ausdruck zu geben. Aber manchmal gerätst du in tiefes Wasser, und von da aus muß man weit schwimmen, bis man wieder ans Ufer kommt. Auch das ist eine bildliche Darstellung. Verstehst du, kleine Liv, was ich meine?» Die kleine Liv verstand, und sie bewahrte seine Zeilen viele Jahre lang auf.

Und dann gab es noch diesen Lehrer mit den roten Wangen und der schwarzumrandeten Brille. Ohne ihn wäre das Gymnasium so sinnlos gewesen wie meine unrettbar schmutzige Schulschürze.

Ich war klein und mager und vorwiegend mit meiner eigenen Welt beschäftigt – in Tagträumereien versunken. Gute Zeugnisse und ungeheure Langeweile. Mein Busen bestand zeitweilig aus Mamas Handschuhen, die in einen von erspartem Taschengeld heimlich gekauften Büstenhalter gestopft waren. Turnstunden, an denen die meisten Mädchen einmal im Monat nicht teilnahmen – wofür sie sich, wenn sie aufgerufen wurden, in ganz normalem Ton mit «dem üblichen Grund» entschuldigten. Und da sich bei mir nichts ereignete, tat ich so, als hätte es sich ereignet, aber ich brachte immer die Daten durcheinander. Ein ganzes Jahr hielt ich diesen Schwindel aufrecht – ohne zu merken, daß die anderen genau Bescheid wußten und lediglich von der Lehrerin gebeten worden waren, taktvoll zu sein.

«Der übliche Grund»: ein magischer Ausdruck, der die Eingeweihten von den Uneingeweihten trennt. Und endlich gilt er auch für sie, die so lange darauf gewartet hat. Was für eine Freude, was für eine Qual! Sie ist unendlich glücklich über die ersten Blutstropfen, die sie aus dem Land der Unschuld in die Welt führen – eine Welt, die immer geheimnisvoller für sie werden wird.

Von ihren Ersparnissen kauft sie Malutensilien, eine Staffelei und vielversprechende Farbtuben. Neidlos verfolgt sie die romantischen Erlebnisse ihrer Freundinnen; sie selbst wird sich der Kunst weihen, eine weltbekannte Malerin werden.

Später Journalistin. Sie gibt Zeitungen heraus. Schreibt Theaterstücke und Gedichte. Eine Zeitlang sieht sie sich auch als Tierärztin. In einem großen Haus voller herrenloser Katzen und Hunde, die alle auf weichen Seidenkissen liegen.

Aber am meisten wünschte sie sich schließlich doch nur noch, Schauspielerin zu werden.

Ich bin sicher, daß es auch Zeiten gab, in denen ich die An-
führerin meiner Klasse war, aber ich erinnere mich vor allem an meine Außenseiterrolle. An das Gefühl, anders zu
sein.

Mein Gedächtnis hat das bewahrt, was am tiefsten ging —
das Gefühl der Isolation, das für mich eine echte traumati-
sche Erfahrung war.

Wenn ich im Bett lag und die Erwachsenen im Wohnzimmer lachen und sprechen hörte, stellte ich mir vor, daß
auch ich eines Tages als Erwachsene dieser herrlichen Welt
der Ideen und des Gelächters angehören würde.

Doch inzwischen bin ich erwachsen, und noch immer
habe ich bisweilen das Empfinden, abseits zu stehen, während alle anderen Teil einer Gemeinschaft sind.

Ich vergesse, wie real sie sind, diese Kindheitserfahrungen,
die wir Erwachsenen Phantasie nennen.

Für das Kind ist es keine Phantasie: die Angst vor dem
Alleingelassenwerden, vor dem bösen Wolf, vor der Dun-
kelheit im Schrank — all das ist *wirklich*. Man gibt ihm einen
Namen, um es anders zu bezeichnen.

Was real ist, das nennen wir Phantasie — und beweisen
damit nur, wie weit wir selbst in Phantasien verstrickt sind.

ICH BIN FÜR DREI TAGE in Paris. Nicht zum erstenmal, doch die Begleitumstände meiner früheren Besuche waren immer etwas eigenartig.

Als ich sehr jung war, kam ich mit einer norwegischen Theatertruppe hierher. Ich war unglücklich verliebt und verbrachte meine ganze Freizeit auf dem Bett liegend, um alte Briefe von *ihm* zu lesen. Er machte inzwischen Bergtouren, um mich zu vergessen, rannte bergauf und bergab, ließ keinen Gipfel aus, kontrollierte seine Zeit, schlug seine eigenen Rekorde und wußte bald nicht mehr, warum er mit dem Herumrennen angefangen hatte. Während ich mich in das Theater Sarah Bernhardts schleppte und meinen Schmerz auf der Bühne ablud.

Ich machte mir noch nicht einmal die Mühe, den Eiffelturm zu besichtigen.

Das nächste Mal kam ich hierher, um die letzten Szenen eines Films aufzunehmen, den ich in Südfrankreich gedreht hatte. Wir arbeiteten in einem kleinen, dumpfigen Studio von acht Uhr morgens bis spät am Abend. Fast alles um mich herum sprach Französisch, das ich nicht verstand. Mein Partner, Charles Bronson, der ebenfalls kein Französisch konnte, bot mir wenig Trost. Die ganze Zeit hindurch redete er kaum ein Wort mit mir. «Guten Morgen» und «auf Wiedersehen» und «mit Ihnen möchte ich nicht noch einmal zusammenarbeiten». Zumindest schien er das zu sagen. Er war in Europa bereits einer der zugkräftigsten Stars, und vielleicht fand er es eine Zumutung, neben jemanden aus dem kleinen Norwegen gestellt zu werden. Der Ruhm hatte ihn erst spät im Leben erreicht, und jetzt verbrachte er den Tag damit, seine kräftigen Armmuskeln spielen zu lassen, die Fäuste zu ballen und zu öffnen und seinen Brustkorb aufzublähen, während Schweißperlen seine Oberlippe zierten.

Den Eiffelturm bekam ich auch bei dieser Gelegenheit nicht zu sehen.

Meinen dritten Besuch unternahm ich in Begleitung meiner fünfjährigen Tochter und ihres Kindermädchens. Ich filmte gerade in London, als der Bräutigam des Kindermädchens frostige Briefe zu schreiben begann. Es gefiel ihm nicht, daß sich seine Braut im Ausland aufhielt. Die Folge war, daß sie dunkle Ringe unter den Augen hatte und alles andere als fröhlich war. Um sie aufzuheitern, lud ich sie zu einem Wochenende nach Paris ein.

Drei Mädchen auf einem Bummel durch die Stadt: Linn, die gerade Englisch lernte und nun durch das Französische in Verwirrung geriet, die Nurse, die frostige Briefe empfing, und ich, erschöpft von einer Woche anstrengender Arbeit. Eine Abstimmung ergab wenig Begeisterung für den Louvre und Notre-Dame, und so besuchten wir nur Kaufhäuser und Spielzeugläden. Ich lächelte meinem Kind zu, und ich lächelte dem Kindermädchen zu, während ich mich innerlich auflehnte.

Als wir schließlich zum Eiffelturm kamen, war ich todmüde, und in meinem Kopf drehte sich alles. Ich konnte einfach nicht mit ihnen hinauffahren, und so setzte ich mich auf eine Bank und fror und wartete.

Und jetzt bin ich zum vierten Mal hier, um Zeitungs-, Fernseh- und Rundfunk-Interviews zu geben. *Schreie und Flüstern* und *Die Emigranten* bringen volle Häuser.

Tagsüber sehe ich nur das Hotelzimmer. Ich habe vom frühen Morgen bis zum späten Abend Termine. Nur meine Schwester, die mich diesmal begleitet, kann den Wagen mit Chauffeur ausnutzen, den man mir zur Verfügung gestellt hat.

Doch nicht einmal sie sieht mehr als die großen Geschäfte. Ihr Gewissen plagt sie, weil sie eine Familie daheim zurückgelassen hat. Sie hat Angst, ihr Mann und ihre fünf Kinder kämen nicht ohne sie zurecht. So kauft sie Geschenke, die sie ihnen mitbringen will.

Ein Pressesekretär hat im voraus festgelegt, wie lange jedes Interview dauern soll: *France-Soir, L'Express, Le Monde, Elle, Paris Match.* Frühstück, Mittagessen und Abendessen mit Fragen und Antworten. Kaffee mit dem Fernsehen, ein nächtlicher Imbiß mit dem Rundfunk. Journalisten geben einander die Tür in die Hand. Zeigen argwöhnische Mienen beim Anblick eines Kollegen. Als ob ich im Besitz von Geheimnissen wäre, die jeder am liebsten für sich allein haben möchte. Wenn ich ins Badezimmer gehen muß, entsteht Bestürzung: Ich stehle jemandem Zeit. Sie warten dort im Salon mit ihren Bleistiften und Tonbandgeräten.

Und bald wird der nächste an die Tür klopfen.

Die meisten wollen das gleiche wissen, formulieren nur ihre Fragen anders. Ich variiere meine Antworten, so gut ich kann, um meinen armen Pressesekretär wach zu halten. Er steht schon seit Stunden am Fenster und verfolgt mit gelangweilter Miene die Bahn der Sonne.

Ob ich an die Ehe glaube? Wie ist es, mit Ingmar Bergman zusammenzuarbeiten? Habe ich politische Interessen? Bin ich eine gute Mutter? Lebe ich allein? Was möchte ich aus meinem Beruf machen? Fast alle fragen, wie ich über die Emanzipation der Frau denke. Ich versuche, in Worte zu fassen, warum ich der Meinung bin, daß jede Einteilung der Menschen in Gruppen die Probleme nur vermehrt und es so noch schwerer wird, einander zu verstehen.

Ich glaube, daß wir leicht dazu neigen, all das überzubetonen, was uns von anderen trennt. Wenn wir ständig darauf verweisen, klassifizieren wir damit nur, was bereits zu jedermanns Schaden klassifiziert worden ist.

Mir schaudert bei dem Gedanken, was mit Mozart geschehen wäre, wenn er als Kind in unserer Zeit hätte leben müssen.

Meine Schwester Bitten und ich möchten das Pariser Nachtleben kennenlernen. Wir wollen alles das sehen, was es bei uns zu Hause nicht gibt. Ich habe Freunde; Franzosen, die uns mit Vergnügen ihre Hauptstadt zeigen.

Wir nehmen Gerüche auf – Ansichten – Farben. Wir sitzen eng zusammengequetscht an einem langen Tisch in einem schwach beleuchteten Restaurant, essen und trinken, spüren die Nähe anderer Menschen, die Wärme fremder Körper.

Auf einer winzigen Bühne eine Show. Fünfzig Frauen und Männer veranstalten einen heiteren Wirbel voll ungehemmter Vitalität. Verwirrendes Herein- und Hinauslaufen bizarrer Kostüme. Schwitzende Gesichter unter ständig wechselndem Make-up. Tempo und Eleganz und Licht und Konfetti und Humor. Das bunte Schauspiel nimmt uns gefangen, reißt uns mit. Meine Schwester vergißt ihr schlechtes Gewissen. Ihre Augen leuchten, sie sieht bezaubernd aus. Jeder, der sie anschaut, muß sich sagen, daß die nordischen Frauen die schönsten sind. Wenn doch ihr Mann hier wäre! Diesen Abend sollten sie zusammen erleben können.

Der Showmaster erkennt mich, ich werde auf die Bühne geholt, Scheinwerfer strahlen mich an. Einen Augenblick lang schlägt mir eine Woge der Sympathie und Wärme entgegen. Ich verstehe ein paar Wortfetzen, die Bewunderung ausdrücken. Einen Augenblick lang erfüllt mich Freude und Stolz, berauscht mich der Erfolg. Dann erscheinen Fotografen. Und ich muß angeheiterten Männern etwas auf eine Menükarte oder auf den Arm schreiben. Mütter strecken mir irgendwelche Zettel entgegen, wollen ein Autogramm für ihre Kinder. Ich werde hier vor meinen Freunden verlegen. Die Schüchternheit läßt meine Füße und Hände wachsen, bis sie meterlang sind. Gleich werden alle sehen, daß ich eine Sicherheitsnadel an meinem Kleid und einen abgebrochenen Fingernagel habe. Sie werden feststellen, daß ich keineswegs hübsch bin und nicht im geringsten amüsant oder bemerkenswert.

Wir brechen hastig auf.

Spärlich beleuchtete kleine Bars und Menschen, die anders sind als wir. Ein Mann tanzt vor einem großen Spiegel mit sich selbst. Er ist in einer anderen Welt – lächelt, verbeugt sich und wirft seinem Spiegelbild Küsse zu. Ab und zu streicht er über seinen Körper und versucht, sich selbst zu verführen. Männer tanzen mit Männern, sind zärtlich zueinander. In dem Halbdunkel, das mit Rauch und lauter Musik erfüllt ist, kommen Menschen zusammen, trennen sich wieder. Wir können das Verlangen nach Berührung sehen. Wir können es spüren. Schau mich an. Liebe mich.

Es ist früher Morgen. Wir spazieren den Fluß entlang. Es riecht nach Frühling, wir spüren ihn auf der Haut. Kleine Läden, die immer geöffnet sind. Wir kramen auf staubigen Regalen herum. Kaufen Andenken füreinander. Kritzeln Grüße, die nur für diese wenigen Augenblicke Bedeutung haben. Halten einander bei den Händen, unbeschwert und fröhlich nach dieser gemeinsam verbrachten langen Nacht, und lächeln jedem zu, dem wir begegnen. Und um diese Tageszeit werden alle Grüße erwidert.

Dann zurück zum Hotel. Rasch unter die Dusche. Wir stopfen unsere Sachen in die Koffer. Fallen lachend auf das Bett, weil es ein so herrliches Gefühl ist, wenn zwei Schwestern die Welt zusammen erleben können.

Auf der Fahrt zum Flugplatz sind wir in Hochstimmung. Der Pressesekretär starrt uns müde und verständnislos an. Er hastet mit unserem Gepäck durch lange Korridore, denn wir sind für die Schalterabfertigung zu spät. Er läuft mit den schweren Koffern, die er uns nicht tragen lassen will, vor uns her. Er wirkt erleichtert, als er uns die Hand küßt, und sagt, er hoffe, uns bald wiederzusehen.

Dann sind wir mit einemmal in Oslo. Ein neuer Arbeitstag beginnt. Es ist zwölf Uhr mittags. Ich verabschiede mich in aller Eile von Bitten. Sie sieht übernächtigt aus und glücklich, und sie freut sich darauf, mit ihren Geschenken und alldem, was sie zu erzählen hat, heimzukommen. In ihre Wirklichkeit zurückzukehren.

Und ich haste weiter – meiner Wirklichkeit entgegen, die ich nicht immer anerkenne.

Mama hatte sich Tuberkulose zugezogen. Jeden Sonntag fuhren Bitten und ich zu dem Sanatorium und winkten ihr zu. Sie kam uns ein wenig fremd vor. Zum erstenmal nahm ich sie als Mensch außerhalb ihrer Mutterrolle wahr. Ich vermißte sie während ihrer sechsmonatigen Abwesenheit und legte statt Papas Foto das ihrige unter mein Kopfkissen. Als sie zurückkam, hatte sie zugenommen, sie wirkte schwerfälliger und nicht mehr so jung. Sie hatte mehr Zeit als zuvor. Und ich weniger für sie.

Ich war zum erstenmal verliebt. Ich hörte zwar nicht die Glocken läuten, wie Mama mir versprochen hatte. Aber es war auch so wunderschön.

Er hieß Jens.

Wir sprachen nicht viel, weil wir beide schüchtern waren – das Schweigen gehörte zu unserer Beziehung. Der Rhythmus des Lebens um uns herum hatte sich plötzlich geändert. Der Augenblick, in dem wir uns vor dem Haustor gute Nacht sagten, war ungeheuer wichtig. Näher als in diesen Minuten kamen wir dem Glockenläuten nie. Mama nahm die Gewohnheit an, hinter den Vorhängen am Fenster zu stehen, wenn sie mich erwartete. Wir mußten uns andere Hauseingänge suchen. Jens trug fast immer Gummistiefel und war viel größer als ich. Eines Tages sagte er mir, daß es aus sei zwischen uns. Er könne nicht seine ganze Jugend mit einer Jungfrau verbringen, erklärte er. Er hatte irgendwo gelesen, daß es einem jungen Mann in seinem Alter schaden könnte, auf Sex zu verzichten. Außerdem stünde er kurz vor dem Abitur und würde bald auf die Universität gehen. Als Student aber könne er nicht mit einer Fünfzehnjährigen herumlaufen. Er hoffe, ich könne das verstehen und nähme es nicht persönlich.

Wir hatten beide ein rotes Gesicht. Nie hatte ich ihn so viele Sätze hintereinander sprechen hören. Ich stand vor einer fremden Haustür und schämte mich meiner Unschuld, während ich zusah, wie ein schlaksiger Jüngling aus meinem Leben verschwand.

Danach liebte ich ein paar Monate lang James Stewart. Er war die Stütze meiner Jugend, unkompliziert und immer da, um geliebt zu werden, wenn er gebraucht wurde. Als ich ihn viel später persönlich kennenlernte, wurde ich puterrot. Als hätte er mir anmerken können, welche Abenteuer wir in meinen Träumen miteinander gehabt hatten.

In den Zeiten, in denen ich nicht verliebt war, besuchte ich ein Nähkränzchen. Wir hielten jahrelang zusammen. Vertrauliches Geflüster bei einer Flasche Mineralwasser, die später durch Kakao, dann durch Tee und am Ende durch Coca-Cola mit Aspirin ersetzt wurde. Junge Mädchen an der Schwelle des Lebens, die sich viele Jahre später hin und wieder zufällig begegneten. Abschätzende, neugierige Blicke – man registrierte gegenseitig die Veränderungen.

Spaziergänge am Hafen. Sonne und eine Brise vom Meer. Boote und Fischer und die Atmosphäre eines Lebens, das sich von meinem so völlig unterschied. Die Gemäldegalerie in Trondheim. Viele Stunden intensiver Betrachtung alter Meister, dabei die Überlegung, ob ich nicht doch Malerin werden sollte. Nachmittags zu Mama in die Buchhandlung, wo ich in einem halbdunklen Winkel las, Bücherregale durchstöberte, den köstlichen Geruch von Papier und Druckerschwärze einsog.

Bücher sind für mich immer lebendige Dinge gewesen. Einige meiner Begegnungen mit neuen Autoren haben mein Leben beeinflußt. Wenn ich verwirrt war, auf der Suche nach etwas, das ich selbst nicht definieren konnte, fiel mir ein bestimmtes Buch in die Hand, kam auf mich zu wie ein Freund. Und sein Einband umschloß die Fragen und die Antworten, nach denen ich Ausschau gehalten hatte.

Ich gehörte dem YWCA, dem Christlichen Verein Junger Mädchen, an. Eine großartige Frau, Sophie, ermöglichte es jungen Mädchen, ihren literarischen und künstlerischen Interessen nachzugehen. Ich durfte Bühnenstücke inszenieren, die ich selbst geschrieben hatte. Alten Damen Gedichte vorlesen. Eine Erinnerung an ergrautes Haar und gütige Augen. Hände, die sich um die Ohrmuscheln wölbten, um besser hören zu können. Kirchenlieder und Kaffee. Wir sprachen oft von und zu Gott. Doch nie auf dogmatische Weise. Es gab dort keinerlei Intoleranz. Ich weiß noch, daß ich vor der Tür immer erst meinen Lippenstift abwischte, ehe ich hineinging, aber dahinter stand wohl mehr der Wunsch zu gefallen.

Eines Tages betrat ich versehentlich einen Raum, in dem Sophie betend auf dem Boden kniete. Sie weinte. Ich dachte, es würde peinlich sein, ihr danach wieder zu begegnen, doch sie lächelte mich nur an und tätschelte meine Wange. Viele Jahre später traf ich sie vor meinem Theater in Oslo. Sie sah viel kleiner aus, als ich sie in Erinnerung hatte, und sie wirkte scheu und verlegen. Ein Wagen wartete auf mich, und wir standen unbeholfen da und wußten nicht, worüber wir reden sollten.

Ich sagte ihr nicht, daß sie mir einige der kostbarsten

Stunden meiner Jugend gegeben hatte. Ich vergaß auch, sie nach ihrer Adresse zu fragen, ehe sie forteilte.

Sophie, die sich für die Aufführung bedankt – die Schauspielerin auf dem Wege zu einer Cocktailparty.

HEIMKEHR VON EINER REISE. Ich habe keine Zeit, auf mein Gepäck zu warten, und beauftrage einen Gepäckträger, es mir ins Theater nachzuschicken. Lasse mich in ein Taxi fallen. Ich muß zur Probe. Mein Kopf schwirrt vor Müdigkeit. Ich komme eine Viertelstunde zu spät. Lächle nach rechts und links. Habe Angst, meine Kollegen zu verärgern. Angst, sie könnten mich für eitel halten, weil ich in Paris gefeiert worden bin. Ich vergesse, daß sie das Leben, das ich gerade hinter mir gelassen habe, ja nicht kennen. Hier in Norwegen scheint es auch für mich gar nicht zu existieren. Ohne jeden Übergang gleite ich in die Welt Oslos und des Theaters zurück. Das andere ist bereits ein Traum.

Die Probe ist beendet – ich bin schon wieder unterwegs. Das schwedische Fernsehen wartet in einem Restaurant. Sie wollen in der nächsten Woche eine Sendung mit mir machen. Von unterwegs ein Anruf zu Hause. Ein kleines Mädchen weint und will wissen, wo ich bin. Mich drückt das schlechte Gewissen. Ich verspreche, Geschenke mitzubringen, dies und jenes zu tun. Das Weinen am anderen Ende verstummt.

Meine Besprechung mit den Fernsehleuten ist in einer Stunde erledigt – ich muß weiter. Mein Anwalt braucht für verschiedene Papiere meine Unterschrift. Ich kaufe Geschenke für Linn. Rufe wieder zu Hause an. Merke, daß die Stimme der Babysitterin ziemlich kühl klingt. Zurück zum Theater. Ich sitze unter der Trockenhaube und versuche, mich auf die Abendvorstellung zu konzentrieren. Laufend Telefonanrufe. Ich hasse diesen kleinen schwarzen Apparat! Ein Fotograf hat sich irgendwie an der Pforte vorbeigeschlichen und steht plötzlich in der Tür. «Ich wollte nur eine Aufnahme», sagt er. Ein Mann hat nach einer Fotografie ein Porträt von mir gemalt und will unbedingt, daß man ihn in meine Garderobe läßt, um zu sehen, ob die Farben stimmen. Jemand hat mir ein selbstverfaßtes Gedicht geschickt: Wir können uns doch sicher irgendwo treffen und fünf Minuten darüber sprechen? Ich habe keine fünf Minuten. Drehbücher liegen ungelesen auf meinem Frisiertisch. Ich habe versprochen, mich bis zu einem bestimmten Termin zu äußern und habe noch keine Ahnung, was ich sagen könnte.

Ich bin den Tränen nahe. Verwandle mich in die rotwangige Nora mit dem glücklichen Mund. Schaue in den Spiegel – bin traurig und glücklich zugleich.

Ein volles Haus. Beifall und Blumen.

Hastige Verabschiedungen im Lift. Mein vom Flughafen hergeschicktes Gepäck wartet in der Pförtnerloge auf mich. Jetzt gibt es keinen Pressesekretär, der es für mich tragen könnte. Ein Taxi nach Hause. Die Babysitterin ist auf dem Sofa eingeschlafen. Ich wecke sie; sie ist zum Schwatzen aufgelegt und bleibt noch eine Dreiviertelstunde. Ich habe keine Ahnung, was wir einander erzählen. Einer der ganz Berühmten hat angerufen. Sein Name steht heute in allen Zeitungen. Seine groß angekündigte Hochzeit wurde am Tag vor der Trauung abgesagt. Die Braut habe kalte Füße bekommen, heißt es. Ich bin überzeugt, er rief an, um mir zu sagen, wie erleichtert er sei, daß nichts daraus geworden ist. Gewiß hätte er laut gelacht und mich gefragt, ob er mich in Oslo besuchen dürfe. In der Hoffnung, daß wir in der Öffentlichkeit zusammen gesehen würden und er der Presse und den Leuten zeigen könnte, daß er nicht allein ist. Ich weiß, daß er eine schlimme Zeit durchmacht, aber ich kann jetzt einfach nicht zurückrufen.

Ich habe in diesem Augenblick nicht die Kraft, so zu tun, als hörte ich seine Verzweiflung nicht.

Für Ruhm muß man bezahlen. Als Kissinger den Nobelpreis erhielt, schickte ich ihm aus einem kleinen Dorf in Italien ein Telegramm, von dem ich hoffte, daß es den zweifellos Vielgefeierten auch erreichen würde. Ein paar Stunden später rief er an, um mir zu danken. Seine Stimme klang nicht besonders glücklich, und von Festesstimmung war im Hintergrund nichts zu hören.

Ein Journalist fragte mich einmal, was für ein Gefühl es sei, so viele Preise und Ehrungen empfangen zu haben.

«Man kann sich leider mit Preisen und Ehrungen nicht unterhalten», sagte ich.

Er lachte und hielt es für einen Scherz.

Nein.

Ich bin in einem Haus, das für Linn und mich zu groß ist. Ich bin traurig und müde und zufrieden. Aber ich habe niemand, mit dem ich diese Empfindungen teilen könnte.

In meinem Bett schläft ein kleines Mädchen. Sie wird nur für eine Sekunde wach, als ich mich dicht neben sie lege:

«Mama, mein Mund ist voller Küsse.»

Es war das Jahr, in dem die *Moonlight Serenade* dauernd im Radio gespielt wurde. Das Jahr, in dem wir den Film über Glenn Miller sahen und seinen tragischen Tod beweinten. Der Rock and Roll kam nach Norwegen. Alle Mädchen trugen weite Röcke mit mehreren gestärkten Petticoats darunter. Das Jahr, in dem man sich ständig verliebte. Körper und Seele fühlten sich leicht und frisch und von Glück erfüllt. Ich hatte mich mit der Schule abgefunden, weil sie mir gleichgültig geworden war. Meine Zeugnisse waren gut, aber was ich lernen mußte, betrachtete ich als nutzlos für das spätere Leben.

Wir hatten noch kein Fernsehen. Die übrige Welt schien nicht so nahe wie heute. Wir bummelten über den Nordre gate und sehnten uns nach der großen Liebe. Um ganz sicherzugehen, sie auch bestimmt nicht zu verpassen, verabredete ich mich gleich mehrmals für denselben Abend; Mama und einige Freundinnen mußten dann zu den ausgemachten Treffpunkten gehen, um den wartenden jungen Männern zu sagen, mir sei nicht gut.

Nur wenige von uns setzten sich über die moralischen Anschauungen hinweg, die zu Hause galten. Kaum je gab es so viele unberührte Siebzehnjährige wie in dem Jahr, als der kußfeste Lippenstift aufkam. Wir prahlten mit Erfahrungen, die wir gar nicht hatten. Vertrauten unsere Sehnsüchte nur den besten Freundinnen an. Die Mädchen meiner Generation träumten von Freiheit und einem Beruf. Aber wir hatten auch den brennenden Wunsch, geheiratet und beschützt zu werden.

Die Frauenemanzipation war zu meiner Zeit noch nicht nach Trondheim vorgedrungen.

NEIN! So geht es nicht. Das wird nie ein Buch. Wo um alles in der Welt kann ich mich verstecken, um in Ruhe gelassen zu werden? Wenigstens eine Stunde lang. Ich sehne mich danach, einmal gar nichts zu tun. Auf meinem Bett zu liegen, Leckerbissen gebracht zu bekommen und von netten Menschen verwöhnt zu werden. Besorgte Mienen zu sehen und zu hören, daß ich viel zuviel arbeite. Das stimmt auch. Normale Menschen jagen nicht so hektisch in der Welt herum wie ich. Im vergangenen März war ich dreimal in Los Angeles, trat zur selben Zeit im Norwegischen Theater in Ibsens *Brand* auf und begann in Schweden einen amerikanischen Film zu drehen.

Dieses Frühjahr ist nicht besser. Ich werde es nie lernen, nein zu sagen. Und jedesmal dieselben Befürchtungen, wenn das Telefon klingelt: Ist es mein Verleger, der mir Vorhaltungen machen will, weil er noch immer nichts von einem Manuskript gesehen hat? Oder mein Agent, der gemütlich in Kalifornien sitzt und wissen will, was ich hier in Norwegen eigentlich treibe? Oder der Theaterregisseur, der mir sagt, daß wir mit *Nora* auf Tournee gehen? Außerdem gibt es da noch Linn und Mama und meine Schwester und Freunde und dies und jenes, und ich bin so müde, daß ich mich nur noch hinsetzen und schreien möchte.

Aber dann würden sie glauben, ich sei verrückt. Sie begreifen nicht, wie einem zumute ist, wenn man nie erleichtert aufatmen kann bei dem Gedanken, *morgen* ist Sonntag, und ich darf mich ausruhen.

Ausruhen?

Jede freie Stunde verbringe ich vor der verdammten Schreibmaschine. Und das alles nur, weil vor zwei Jahren, als ich einmal ohne Engagement war, ein Journalist anrief und sich erkundigte, was ich denn gerade mache. Statt zuzugeben, daß ich nichts zu tun hatte, und die Schlagzeile «Das Ende einer Karriere» zu riskieren, behauptete ich kühn, ich schriebe ein Buch.

Jetzt erkundigt sich jeder nach dem Buch. Verleger aus aller Welt rufen an oder schreiben, ohne überhaupt zu wissen, was ich hier zusammenbraue. Und nun habe ich ganz schlicht Angst. Ich fürchte mich vor diesem Vertrag, der erfüllt werden muß. Vor den halben Versprechungen, die ich abgegeben habe.

Aber ich werde sie hereinlegen: Ich werde mir einen riesigen Vorschuß zahlen lassen und mich davonstehlen – auf eine friedliche Insel, die niemand kennt. Und dort werde ich sitzen und Bananen essen und nie mehr zurückkommen.

Je länger ich darüber nachdenke, um so mehr bin ich davon überzeugt, daß der Ursprung all meiner Sorgen und meiner Müdigkeit das *Buch* ist und die dem norwegischen Verleger gegenüber eingegangene Verpflichtung, das Manuskript zu einem bestimmten Termin abzuliefern.

Aha! Der Verleger ist der Bösewicht.

Mein alter Freund! Nun, da bin ich mir jetzt nicht mehr sicher. Ich brauche ihn aber als Sündenbock. Mit bebenden, zornigen Fingern wähle ich seine Nummer. Ich muß verrückt sein.

«Mama», sagt Linn.

«Halt den Mund», zische ich sie an und füge, damit sie es nie vergißt, hinzu: «Diese Männer – laß dich bloß nie mit ihnen ein ...»

«Auch Männer sind Gottes Geschöpfe», behauptet meine kleine Tochter und wandert in die Sonne hinaus.

Es ist schwer, am Telefon zu erklären, was mich bedrückt; aber er versteht, daß es etwas ist, was nicht warten kann. Er spricht mit mir, als wäre ich ein Tier, mit dem man nicht vernünftig verhandeln kann. Wir verabreden, uns sofort zu treffen.

Ich verzichte auf Make-up. Stelle mit Befriedigung fest, daß meine Nase glänzt und dunkle Schatten unter meinen Augen zu sehen sind. Eine Sekunde lang überlege ich, ob ich nicht als Kameliendame mehr Eindruck auf ihn machen würde, wie wenn ich als Monster erscheine. Ich entscheide mich für ein Mittelding und verlasse das Haus in der abgetragenen Hose, die ich zur Gartenarbeit anziehe. Ich lache innerlich, wenn ich merke, daß mich die Leute anschauen, als verstünden sie, weshalb ich auf der Liste der schlechtestgekleideten Frauen der Welt stehe. Wenn sie schon mein *Äußeres* für schrecklich halten, dann sollten sie erst mal wissen, wie es in meinem Inneren aussieht!

Nach Oslo sind es sechzehn Kilometer. Das Monster verwandelt sich allmählich in die Kameliendame. Ich bin nahe daran zu weinen. Sitze im Wagen und hoffe schnlichst, daß er begreift. Male mir aus, wie er aufsteht und tröstend die Arme um mich legt. Seinen Stuhl neben den meinen rückt und mir ins Ohr flüstert, daß er in erster Linie mein Freund sei. Daß ich mich nicht beunruhigen solle. Daß er Verständnis habe. Daß alles in Ordnung sei. Er könne ebensogut irgendwelche anderen Bücher veröffentlichen, solange ich nur glücklich bliebe.

Ich komme zu unserem Treffpunkt und sehe, daß er bereits Kakao mit Sahne für mich bestellt hat. Er hat inzwischen ein Krabbensandwich verzehrt, und in seinem Mundwinkel ist etwas Mayonnaise hängengeblieben. Ich senke den Blick, starre in die Tasse und blinzle, um die Tränen zurückzuhalten. Ich weiß, daß ich es nicht überzeugend erklären kann. Es ist selbst für mich alles so vage. Ich spüre einen schweren Klumpen in der Magengegend. Ich kann den Druck der Anforderungen, die an mich gestellt werden, nicht mehr ertragen.

Ich spreche von der Angst, mit leeren Händen dazustehen, wenn ich so viel von mir preisgebe. Meinen Zweifeln an dem Inhalt des Buches, meinen Bedenken, ob es ankommen wird. Ich spüre Aggressivität gegen den Verleger aufkommen, der mich nicht aus dem Vertrag entlassen will.

Während ich ihn anschaue und fadenscheinige Argumente stammle, ihm zu erklären versuche, daß nie ein Buch zustande kommen wird, schwindet der *Freund* allmählich. An seine Stelle tritt der *Arbeitgeber*, ein Mann, den ich nicht kenne. Beinahe erwarte ich, daß ihm Teufelshörner aus der Stirn wachsen. Noch nie habe ich einen so herzlosen Mann gesehen. Und das alles nur, weil ich eine alleinstehende Frau bin.

Ich werde eine militante Frauenrechtlerin werden und ihn und seinesgleichen bekämpfen! Und wenn er mir wieder einmal sein ländliches Studio (er ist auch Schriftsteller) vorführen will, wo er jeden Morgen und Nachmittag ungestört von Kindern und Telefonanrufen arbeitet, dann werde ich ihm etwas sehr Gehässiges und Gemeines sagen.

Und während ich meinen Kakao mit Sahne (er bestellt eine zweite Tasse für mich) trinke und etwas auf den Tisch verschütte (meine Hände zittern) und verspreche, dem Buch mehr Zeit (wo soll ich sie hernehmen?) zu widmen – denke ich daran, wieviel Geld er an mir verdienen wird.

Nie hat eine so mißhandelte Märtyrerin ihren Peiniger so kläglich angeschaut wie ich, ehe ich hinausstolpere und nach Hause fahre.

Im Wagen frage ich mich, ob ich womöglich einen Nervenzusammenbruch bekomme. Und wenn ja, ob ich ihm einen künstlerischen Ausdruck verleihen kann.

Ich kann durchaus verstehen, daß einige Mitglieder der Familie meines Vaters meine Berufswahl mit scheelen Augen betrachteten. Den Namen Ullmann zu tragen, verpflichtet – so wurde mir wenigstens als Kind gesagt. Man hatte ein gewisses Niveau zu wahren, ein Motto für das Leben zu haben – eine umzäunte, mit bewährten Traditionen gepflasterte Straße, die zum Ziel führte. Eines der älteren Familienmitglieder schrieb Mama, es sei wohl besser, daß Papa gestorben sei, ehe sich seine Tochter dem Theater verschrieb.

Zu vielen Familienzusammenkünften wurde ich gar nicht eingeladen, aber während meines ersten Jahres in Oslo begegnete ich hin und wieder dem einen oder anderen Ullmann auf der Straße. Und obwohl sie mich durchweg mit eher furchtsamen Blicken musterten, hatte ich das Gefühl, daß es tief unter der Oberfläche irgendwo einen Kontakt zwischen uns gab. Wenn wir einander nur Zeit ließen, die Dinge zu verstehen und zu akzeptieren. Unsere Wurzeln waren dieselben, wir hatten uns lediglich in etwas verschiedene Richtungen entwickelt.

Am stolzesten ist die Familie auf meinen Urgroßvater. Er hieß Viggo Ullmann, war ein Liberaler, Präsident des Parlaments und Begründer eines neuen Schultyps. Und er war als glänzender Redner bekannt. Er war überaus häßlich, wie fast alle Ullmanns. Sowohl die Frommen als auch die Atheisten. In solchen Dingen macht Gott keine Unterschiede, derlei oberflächliche Belohnungen für gutes Benehmen gibt es nicht.

«Ich glaube an das ewige Leben, weil ich es lebe», pflegte mein Großvater zu sagen. Zu seiner Zeit benutzten die Damen der Familie ihr ewiges Leben, um für die Freiheit der Frauen zu arbeiten. Die meisten von ihnen waren Pädagoginnen. Der norwegische Autor Gunnar Heiberg schrieb über eine von ihnen ein Stück mit dem Titel *Tante Ulrike*. Ihr wirklicher Name war Aasta Hansteen, sie war begabt, haßte die Männer, hatte ein heftiges Temperament und viel Humor. Dann gab es einen Verwandten, der ein wenig verrückt war. In sehr reifem Alter lief er mit einer Wanderbühne davon. Niemand hörte je etwas von ihm, und auch sein Name wurde nie mehr erwähnt. Vermutlich ist er es, dem ich nachgeschlagen bin.

Bei der Premiere meines ersten Films ging einer meiner Großonkel zu dem Direktor der Osloer Kinos und fragte, was man unternehmen könnte, um weitere Vorführungen zu verhindern. In dem Film badete ich nackt in einem Waldsee, und das Ullmann-Hinterteil war deutlich zu sehen.

Ein gewisser Pastor Moll, der Nacktheit grundsätzlich bekämpfte, wo immer er ihr begegnete, ob in der Kunst oder in einem Zeitungsbericht, erstattete Anzeige gegen den Film.

Großer Familienskandal.

Großmama bekam in ihrem Altersheim Schwierigkeiten, weil sie alle Damen in ihrer Etage zur Premiere eingeladen hatte. Ihre Lage wurde noch prekärer, als ich unter ihrem Namen ein Gedicht an eine Zeitung schickte und man es ihr mit der Bemerkung zurücksandte, es sei zu erotisch.

Einmal ging ich zu einer Party, die ein Vetter Papas gab. Ich war inzwischen verheiratet, hatte gerade einen künstlerischen Erfolg in der Hauptstadt hinter mir und war zum erstenmal Ehrengast auf einem Familienfest. In seiner kurzen Willkommensrede beichtete der Gastgeber die größte Sünde seines Lebens: Er hatte, als er fünf war, seiner Mutter aus der Speisekammer ein Glas Marmelade gestohlen. Wahrscheinlich quälte ihn die Tat noch immer. Ich verstand nun etwas besser, weshalb er mich vielleicht unmoralisch fand.

Mamas Familie ist nicht so illuster. In meiner Kindheit hatte ich viel mehr Kontakt mit diesen Verwandten, weil wir in derselben Stadt lebten. Mama war die zweitjüngste von zehn Geschwistern.

Ihr Vater war sehr vermögend.

Manchmal machten wir einen Sonntagsspaziergang zu dem Haus ihrer Kindheit. Oder besser zu dem, was davon übriggeblieben war. Jetzt gab es dort nur noch Wohnblocks und Parkplätze. Ich mußte meine Augen schließen, um das zu sehen, was Mama sah: ein großes, weißes Haus in einem Garten voller Obstbäume und Birken. Mama saß oft auf einem dieser Bäume, wenn sie ihren Vater erwartete. Auch an ihrem fünfzigsten Geburtstag kletterte sie auf einen Baum und landete mit einer Gehirnerschütterung im Krankenhaus.

Mamas Vater starb, als sie zehn war, aber sie blieben bis zu ihrem neunzehnten Lebensjahr in dem großen Haus mit seinem Garten und den Bäumen wohnen. Sie hatte eine sorglose, schöne Jugend. Die Geschwister hingen aneinander, und ihr Heim war immer voller Menschen, Heiterkeit, Gesang und Liebe.

Wenn ich Fotos aus Mamas Jugendzeit betrachte, werde ich traurig. Sie sieht entzückend aus, ihre Augen strahlen glücklich und erwartungsvoll.

Warum verläuft das Leben nicht so, wie wir hoffen und planen?

Warum ist die Zeit so erbarmungslos und nimmt uns unsere Chancen fort, wenn wir nicht flink genug sind, sie gleich beim Schopf zu packen?

Warum ist es so erschreckend, in die Sechzig zu kommen, wenn man einmal sechzehn war und glaubte, man habe unbegrenzt Zeit?

Mamas glücklicher Gesichtsausdruck auf diesen Bildern gleicht dem meiner Schwester auf ihrem Konfirmationsfoto. Bitten hat immer nur in Trondheim gelebt, wo sie jetzt mit ihrem Mann und fünf Kindern wohnt. Auf neueren Fotos sieht sie nicht mehr ganz so glücklich aus wie auf jenem anderen, auf dem sie so herausgeputzt dasteht, das Gesangbuch in der Hand, und mit ihrem Lächeln die ganze Welt umarmt.

Wir investieren so viel in unsere Träume und in unsere Hoffnungen!

Wir waren einmal Kinder, die am Morgen ihres Konfirmationstages erwartungsvoll aufwachten. Des Tages, den wir jahrelang herbeigesehnt hatten, des Tages, an dem eine Veränderung eintreten, das Leben der Erwachsenen für uns beginnen würde und damit das Recht auf eigene Entscheidungen.

Und in einem gerahmten Foto stehen wir dann für die Nachwelt da, neben anderen Fotos, auf denen wir Säuglinge, Fünfjährige, Schulkinder und Bräute sind.

Den Blick in die Ferne gerichtet und für immer unerreichbar.

Bald werde ich eine alte, weißhaarige Dame sein, der jemand mit den Worten «Lächle mal, Großmama!» ein

Baby auf den Schoß setzt. Ich, die ich vor so kurzer Zeit selbst als Baby auf dem Schoß meiner Großmutter fotografiert wurde. Ich, die ich noch vor wenigen Tagen Blumen pflückte, kann nicht begreifen, daß vielleicht schon morgen alles vorbei ist.

WIR KAMEN durch eine Annonce zu unserer Katze. Der bisherige Besitzer brachte sie uns selbst, fuhr eigens aufs Land zu uns, um sicher zu sein, daß sie es gut haben würde.

Wir hatten einen Kater gesucht, schwarz oder weiß.

Tassa ist weißgefleckt, und nach Wochen der Ungewißheit, in denen wir uns nicht über sein Geschlecht einigen konnten, stellte sich heraus, daß er eine *Sie* war.

Sie war zuerst unbeschreiblich häßlich. Lang und mager – mit einem großen Bedürfnis nach Liebe, dem sie vehement Ausdruck gab.

Wenn ich schrieb oder las, saß sie wie ein Vogel auf meiner Schulter. Linn band ihr rote Schleifen um Hals und Schwanz und führte sie an der Leine spazieren. Ließ sie auf den Hinterbeinen tanzen und wie einen Schubkarren auf den Vorderbeinen gehen. Sie schlief in einem Puppenwagen oder lag geduldig in einem Korb, den die Kinder hinter sich herzogen.

Eines Tages steckten sie sie in die Waschmaschine und drückten auf den Startknopf. Ich verwünschte meine Trägheit, mein Desinteresse an diesen technischen Dingen. Ich drückte auf alle möglichen Tasten und drehte an sämtlichen Knöpfen, bis endlich die Tür aufging und eine entrüstete Tassa herausflitzte. In meiner Phantasie hatte ich sie schon das gesamte Waschprogramm durchlaufen sehen und den Entschluß gefaßt, meine Nachbarin zu bitten, die Waschmaschine nach dem Schleudervorgang zu öffnen.

Ich nehme mir vor, sie zum Tierarzt zu bringen, da ich gehört habe, daß es auch für Katzen die Pille gibt.

Aber Tassa läßt sich plötzlich nicht mehr einfangen. Ständig entwindet sie sich meinen Armen, ihr Blick wird immer ablehnender, sie entwischt in den Garten, macht wilde Sätze und ist schließlich verschwunden. Am Abend beobachte ich sie vom Fenster aus und merke, daß auch Tassa den Frühling spürt. Sie ist nicht mehr mager. Ihr Körper ist weich und geschmeidig, ihr Fell glänzt, und jeder würde sie für ein reinrassiges Zuchtprodukt halten.

Sie hat vier Freier, und sie lebt nur noch der Liebe.

Tag und Nacht. Sie treibt es mit allen von ihnen.

Riesige Kater mit struppigem Fell und zahllosen Narben und Wunden, die von irgendwelchen Kämpfen herrühren, erschrecken uns mit rauhen Klagetönen und gellendem Geschrei und verbreiten um das ganze Haus herum einen durchdringenden Gestank.

Und Tassa streicht herein und hinaus; läßt sich nie fangen, ist genauso herablassend zu ihnen wie zu uns. Tut so, als verstünde sie nichts. Quält und peinigt sie. Und raubt uns allen den Nachtschlaf.

Irgendwann wird sie natürlich doch Junge bekommen, wenn nicht schon welche unterwegs sind. Vier Kater schreien und leiden.

Es ist eine verlorene Sache.

Manche können eben nicht anders.

GROSSMAMA LEBTE bis zu Papas Tod bei uns.

Eine alte Frau mit der Seele eines jungen Mädchens, die mir ihr Herz öffnete, weil sie merkte, daß wir wesensverwandt waren.

Sie ließ eine neue wunderbare Welt für mich erstehen, in der alles möglich war. In der ein Baum oder ein Stein viel mehr bedeuteten als das, was wir mit den Augen wahrnehmen können. Sie zeigte mir, wie die Adern der Blätter pulsierten. Und sie war die erste, die mir sagte, daß Pflanzen aufschreien, wenn man sie verletzt.

Auf unseren Spaziergängen wurde die Natur zu einem Teil des Himmelreiches, in dem Gott hinter seinem Vorhang aus Wolken und Sonne und Sternen Wache hielt.

Alles, was wuchs, war auf seine Weise schön, hatte ein Eigenleben. Wir sprachen nie über Naturschutz; aber ich lernte von Großmama, daß ich nicht das Recht hatte, die Natur zu unterjochen, ihr Gewalt anzutun, als wäre ich in keiner Weise verantwortlich für das Ganze.

Ein Gesicht mit derben Zügen und unzähligen Runzeln – Augen, in denen das Weiße sich gelb verfärbt hatte, deren wunderschöne hellblaue Iris aber noch unverändert strahlte. Der angenehme Geruch, wenn ich meinen Kopf an ihrer Brust barg. Die Wärme ihrer Umarmung.

Erst als ich schon erwachsen war, wurde mir bewußt, daß Großmama eine alte Frau war. Ich sah, daß der Rücken, der mich so oft getragen hatte, gebeugt und gekrümmt war. Das Haar, einst ein dicker Zopf, wie sie mit Stolz erzählte, an dem die Jungen sie als kleines Mädchen gern gezogen hatten, war nur noch ein dünnes weißes Zöpfchen, das sie zu einem kleinen Knoten zusammendrehte.

Wir wohnten in Trondheim, sie in Oslo, aber ich verlebte häufig ein paar Sommerwochen bei ihr. Und als ich achtzehn war, kam ich für ein Jahr nach Oslo. Manchmal besuchten wir an einem Abend drei Kinovorstellungen. Großmama zahlte. Oder wir gingen in ein kleines Café und unterhielten uns über die Leute, die wir dort sahen.

Das schönste war, wenn ich die Nacht in ihrem Zimmer verbringen durfte. Wir mußten uns sehr still verhalten, weil sich Großmamas Hauswirtin Schlafgäste verbeten hatte.

Ihr Schreibtisch vor dem Fenster. Nirgendwo gab es so aufregende Schubladen wie bei ihr, voller Briefe und Kästchen und Schmuck und Erinnerungen aus einem langen Leben.

Manchmal weinten wir zusammen, wenn wir Großvaters Liebesbriefe lasen.

Sie waren bereits viele Jahre geschieden, als er starb. Jeder sagte, er habe sie verlassen, weil sie eine schwierige, böse Frau gewesen sei. Das verstand ich nie. Meist saßen wir auf ihrer goldfarbenen Bettdecke, die Augen auf Großvaters Bild über dem Bücherregal geheftet, und wir betrachteten ihn sehr lang und eingehend, ehe wir zu Papas Fotos übergingen. Ihre Stimme, wenn sie mir von der Zeit erzählte, als sie die junge Frau eines Offiziers und Papa ein kleiner Junge war – der hübscheste, netteste kleine Junge der Welt. Und von Großvater, der abends in seiner prächtigen Uniform nach Hause kam und sie nacheinander hochhob.

Großmamas unglückliche Ehe. Eine Scheidung, bei der sie den Sündenbock abgeben mußte, obwohl ihr Mann es war, der sofort wieder heiratete. Ich fragte Großmama nie, wie es eigentlich zu der Scheidung gekommen war, denn ich wußte, daß ihre Gedanken und Erinnerungen nicht über die glücklichen Jahre hinausgingen. Solange ich sie kannte, lebte Großmama fast immer in einer Phantasiewelt, die wirklicher für sie war als ihre traurigen Erlebnisse. Und in dieser Welt wanderten wir stundenlang herum.

Das Jahr, als ich achtzehn war und meine beste Freundin fünfundsiebzig.

Es tut weh, an den letzten Abschnitt ihres Lebens zu denken. Ein Altersheim. Geschmackvoll eingerichtet. Alle Farben harmonisch aufeinander abgestimmt. Geduldig lächelnde Pflegerinnen mit weißen Schürzen. Doch sobald die Glocke zum Frühstück, Mittagessen oder Abendessen rief, mußten fünfzig alte Damen unverzüglich ihre Zimmer verlassen und sich in den Speisesaal begeben. Mußten mit Menschen an einem Tisch sitzen, deren Gesellschaft sie nicht gesucht hatten. Über Ereignisse sprechen, die sie nicht interessierten. Freundschaftliche Kontakte suchen, obwohl sie nichts miteinander gemein hatten als die Einsamkeit und das Warten.

Die Furcht, wenn sie einen Tag das Bett hüten mußte; drei Tage im Bett bedeuteten, daß man in die Pflegeabteilung verlegt wurde. Es gab lange Wartelisten für die Zimmer – und aus dem Pflegeheim kehrte kaum jemand zurück. Eines Tages kam auch Großmama dorthin.

«Es ist viel besser für alte Leute, wenn sie eine ständige Betreuung haben. Wenn sie mit Menschen zusammen sein können, die in der gleichen Situation sind.» Verwandte, die nur das Beste für ihre Lieben wollen und sie einer Institution überantworten, in der es kein «Ich» mehr gibt, nur noch ein «Wir».

«Wir» müssen vielleicht ein bißchen früh zu Bett gehen; wenn «wir» überhaupt kräftig genug waren, irgendwann an diesem Tag aufzustehen. Manchmal fanden die abendliche Waschprozedur und sonstige Vorbereitungen für die Nacht schon um vier Uhr nachmittags statt. Etwas früh vielleicht – aber das Personal ist so knapp – und «wir» haben ja sowieso nichts weiter zu tun, wenn «wir» auf sind. Anklopfen ist nicht mehr notwendig. Was für Geheimnisse kann ein alter Mensch schon haben? Jemand, der nur ein Bett besitzt – kaum einen Meter von der Nachbarin entfernt. Ein Zimmer, in dem es keine Bücher, Möbel oder Bilder mehr gibt. Wie die Hausordnung es bestimmt. Aber wenn die Pflegerin nett ist, dürfen «wir» vielleicht ein Foto an der Wand aufhängen. (Bitte keinen Nagel benutzen – er hinterläßt ein häßliches Loch.) Dann können «wir» dort liegen und auf Bilder von Familienangehörigen und Freunden starren, die so mit ihrem eigenen Leben beschäftigt sind, daß der Besuch bei den Alten von einer Woche auf die andere verschoben wird. Aber schließlich haben «wir» es doch so angenehm. Besucher können oft sehr lästig sein.

Ich weiß noch, wie Großmama mir alles zeigte. Sie öffnete die Tür des Fernsehschranks und wunderte sich, wohin denn das nette Mädchen gekommen sei, das sonst immer dort drinnen war. Ich wollte nicht glauben, daß sie senil geworden war, und versuchte, sie in die Welt zurückzurufen. Wollte ihr sagen, daß sie sich nicht einer stumpfsinnigen Apathie überlassen dürfe. Wollte sie daran erinnern, daß ich sie liebte, mich nach der Gemeinsamkeit von früher sehnte. Sie sollte nicht das Gefühl haben, sie gehöre nicht mehr zu dem Leben, das durch sie so bereichert worden war.

Ich saß an ihrem Bettrand und warf verstohlen einen bedrückten Blick auf ihre Nachbarin. Dort lag jemand, der schon vor langem in eine Welt eingetreten war, in der man in Frieden träumen und seinen Erinnerungen nachhängen kann.

Ich hielt Großmutters Hand, wußte nicht mehr, was für Worte ich gebrauchen sollte. Ich wußte nur, daß sie bald ihrer Nachbarin in das Land der Träume folgen würde. Weil sie die Situation, in der sie war, nicht ertragen konnte.

Sie hatte den Punkt des Lebens erreicht, an dem man endlich in das Buch der Antworten schauen darf. Aber es gab keine Antworten.

Das Leben war nie so verlaufen, wie sie es sich gewünscht hatte. Und ihr Ende war das Vernichtendste von allem. Ich kam zu ihr, und sie fragte, wer ich sei. Als hätte ich nie als kleines Mädchen die Arme um sie geschlungen. Sie wußte nicht mehr, daß wir früher einmal die wunderbarsten Geheimnisse miteinander geteilt hatten.

Danach besuchte ich sie nur noch ganz selten.

Großmama starb, und nichts war mehr wie zuvor.

Vielleicht sollte man sein Herz nicht an jemanden hängen, der so viel früher gehen muß.

ALS ICH SIEBZEHN WAR, weigerte ich mich, noch länger zur Schule zu gehen. Mama bemühte den Direktor, einen Psychologen und die Familie, um mich zu überzeugen, aber es half alles nichts. Ich konnte es nicht mehr ertragen, so gelangweilt in einem Klassenzimmer herumzusitzen.

Ich wollte fort, in die Welt hinaus.

Einen Monat später stand ich auf einem Schiffsdeck und beobachtete, wie ein englischer Hafen allmählich feste Umrisse annahm. Er wirkte grau und fremd. Ich hatte Angst. Am frühen Morgen ging ich in Newcastle von Bord. Ein Pensionat sollte meine erste Station sein. Genau vierzehn Tage hielt ich es dort aus.

Meinen Schlafraum teilte ich mit sechs Mädchen. Eine von ihnen wollte in einem Bett mit mir schlafen. Um sie nicht zu kränken, sagte ich, ich sei verlobt. Niemand durfte Lippenstift und Puder benutzen oder Schmuck tragen. Am ersten Abend stand plötzlich die Direktorin in der Tür, das graue Haar zu einem makellosen Kranz um den Kopf geflochten. Ich lag kläglich da – eine heimwehkranke Siebzehnjährige –, und sie musterte mich streng.

«Du hattest beim Dinner die Ellbogen auf dem Tisch. Das sind wir hier nicht gewöhnt.»

Einmal in der Woche machten wir einen gemeinschaftlichen Gang in die Stadt. Unsere Uniform war recht kleidsam. Wenn eine von uns etwas kaufen wollte, blieben wir alle stehen und warteten, während die Betreffende mit der Lehrerin in dem Geschäft verschwand. Schaufensterbetrachten galt als vulgär – also taten wir es nie. Am Samstag gab es einen Tanzabend. Große Aufregung und viel Gelächter in den Schlafsälen. Wir drehten unser Haar auf Papierlockenwickler auf und rieben uns die Backen rot.

Punkt sieben kamen die Mädchen einer anderen Schule in unsere Halle marschiert. Der Tanz konnte beginnen. Weil ich neu war, wurde mir die Auszeichnung zuteil, mit der Direktorin einen Tango tanzen zu dürfen. Sie führte mich mit geübten Händen.

Am Montag stand ich zitternd vor meiner Tanzpartnerin vom Samstag und erklärte ihr, daß ich leider nicht bleiben könne. Sie sah aus, als stimme sie völlig mit mir überein. Die Worte, die sich aus ihrem Mund über mich ergossen, waren ein einziger Tadel.

Im Zug nach London hätte ich am liebsten jedem Menschen, dem ich begegnete, zugelacht und laut gesungen.

Ich kam beim YWCA unter und fand es an der Zeit, jetzt mit meiner schauspielerischen Ausbildung zu beginnen. Papa hatte mir 2.000 Kronen hinterlassen. Wenn ich vorsichtig damit umging und Mama mir noch ein bißchen unter die Arme griff, dann – so kalkulierte ich – müßte es mir möglich sein, mindestens sechs Monate damit auszukommen.

Ganz oben im letzten Stockwerk packte ich meine beiden Koffer aus und richtete mich in einem Raum für fünf Personen, wo das Bett unter dem Fenster meines sein sollte, häuslich ein. Hier konnte ich morgens liegen und auf die dicken Rauchschwaden hinausschauen, die Ende der fünfziger Jahre noch über der Stadt hingen und die Luft verpesteten. Ich war mit mir und den Möglichkeiten des Lebens überaus zufrieden. Zum erstenmal auf eigenen Füßen stehen – und keine Mama, die jeden Schritt überwachte.

In dem Bett neben mir schlief eine Engländerin. Sie war mit einem Norweger verheiratet, der sich nach England abgesetzt und sie ohne einen Penny in einer kleinen norwegischen Stadt zurückgelassen hatte. Jetzt war sie in London, um ihn zu suchen. Sie hatte sich für die Reise Geld geliehen, und ihr Gesicht war grau und müde, wenn sie mir Fotos von ihrer Tochter zeigte. Manchmal, wenn sie glaubte, daß alle schliefen, weinte sie, die Steppdecke über den Kopf gezogen. Oder sie schloß sich im Badezimmer ein – dem einzigen Ort, wo man allein sein konnte. Wenn ich dann die versperrte Tür betrachtete und sie seufzen hörte, dann hoffte ich, daß die Liebe für mich immer heiter und unkompliziert sein würde.

Jeden Vormittag ging ich zu Irene Brent. Sie war sowohl Schauspielerin als auch Lehrerin. Mein Unterricht kostete nichts – einmal, weil sie sich sehr für Norwegen begeisterte, zum anderen aber auch, weil ich ein dankbares Publikum für ihre Rezitationen darstellte. Sie erprobte an mir alle ihre Rollen für Rundfunksendungen und die Bühne. Einmal durfte ich sogar mit ihr zusammen auftreten und norwegische Lyrik lesen.

Zweimal im Monat hielt sie ein offenes Haus. Dann bevölkerten die merkwürdigsten Leute aller Altersstufen, deren gemeinsames Band ein leidenschaftliches Interesse für das Theater war, ihre kleine Wohnung. Wir lasen einander vor, verteilten Rollen, kauerten dichtgedrängt auf den wenigen Sitzgelegenheiten oder auf dem Boden. Es wurden keine Erfrischungen gereicht, aber niemand schien sie zu vermissen, wenn wir dasaßen, die Köpfe über zerfledderte Bücher gebeugt.

Manchmal kam ein gutaussehender älterer Mann, der früher einmal auf einer wirklichen Bühne den Hamlet gespielt hatte. Er war kränklich und sehr bescheiden. Wenn er erschien, wurde immer viel Aufhebens von ihm gemacht. Er durfte sich die Rolle aussuchen, die ihm gefiel – oder Lyrik lesen, wenn ihm mehr danach war. Man flüsterte mir zu, daß er ein schweres Leben gehabt habe, und ich hatte das Gefühl, einem Genie gegenüberzusitzen.

Nach ein paar Wochen durfte ich Irene in die Schauspielschule begleiten, an der sie unterrichtete. Der berühmteste Schüler, den sie je dort gehabt hatten, war Stewart Granger. Überall hingen Fotografien von ihm. In meiner Phantasie sah ich schon die meinen daneben.

Wenn ich nichts anderes zu tun hatte (und meistens hatte ich nichts anderes zu tun), ging ich ins Kino. Drei, vier Vorstellungen am Tag.

Kleine Cafeterias, in denen es herrliche heiße Schokolade gab. Das beste und billigste Mittagessen der Welt. Ab und zu wurde ich von einem Fremden angesprochen und konnte entweder mit gespitztem Mund das tugendhafte Mädchen aus Trondheim spielen oder aber zehn aufregende Minuten verleben, in denen Blicke gewechselt wurden und stockend ein Gespräch in Gang kam; danach ließ mich mein Mut im Stich, und ich streute meinen «Verlobten zu Hause» in die Unterhaltung ein.

Ich schlenderte die Bond Street entlang und besah mir in den Schaufenstern die Kleider, die mir eleganter vorkamen als in Norwegen. Fasziniert betrachtete ich die Lichterflut und die Menschenmenge am Piccadilly Circus. Starrte die englischen Mädchen an, die im Winter keine Wollstrümpfe trugen und im Sommer fast ausnahmslos blaue Beine zu haben schienen. Es war das Jahr, in dem sich ein einsamer, unscheinbarer Mann als Massenmörder entpuppte; er hielt die Frauenleichen in einem Haus versteckt, das meinem Stammkino genau gegenüberlag. Im YWCA erzählte man sich wilde Geschichten über Mädchenhandel, und ein paar besorgte Eltern holten ihre Töchter nach Hause.

Diejenigen von uns, die aus Norwegen waren, kamen zum erstenmal in den Genuß des Fernsehens. Wir weinten mit Grace Kelly auf ihrer Hochzeit und träumten von unserer eigenen. Wir aßen norwegische Spezialitäten und sehnten uns danach, wieder zu Hause zu sein. Führten teure R-Gespräche, um zu fragen, ob die Familie etwas mehr Geld schicken könne.

Manche Mädchen verließen den YWCA, weil man ohne besondere Erlaubnis nach zehn Uhr nicht mehr außer Haus sein durfte. Andere nahmen eine Stellung als Hausgehilfin an oder lernten einen Engländer kennen und heirateten ihn. Aber die meisten verbesserten wie ich ihr Englisch ein bißchen und kehrten nach Norwegen zurück.

Linn möchte Seiltänzerin in einem Zirkus werden. Sie schreibt lange Briefe an die Ringling Brothers. Sie beunruhigt nur die Frage, ob sie während ihrer artistischen Ausbildung bei den Zirkusleuten wohnen muß.

Ich entdecke keinen Kummer in ihren Augen bei dem Gedanken, daß sie mich verlassen muß. Es ist das Gepäck, das ihr Kopfzerbrechen bereitet: Was für Kleider und Bücher sie mitnehmen soll. In ihrer träumerischen Miene, die der Abschied von ihrer Mama so ungerührt läßt, kann ich eine Zeit ablesen, die irgendwann kommen wird – vielleicht schon in ein paar Jahren. Und ich bin dankbar, weil mich dieser flüchtige Augenblick vorbereitet hat auf das, was ich eines Tages erleben werde.

Einen Abschied, bei dem ich diejenige sein werde, die weint. Während ihre Gedanken längst dorthin unterwegs sind, wohin ich ihr nie folgen kann.

Wir machen eine Radtour.

Eine Mutter, die abnehmen muß, und ihre siebenjährige Tochter, die gerade von ihrem Vater ihr erstes richtiges Rad bekommen hat. Es ist blau, und es strahlt und blitzt in funkelnagelneuer Überlegenheit neben meinem eigenen schäbigen, abgenutzten Fahrrad, das älter ist als mein Kind.

Eine Klingel läßt ein verrostetes Schrillen ertönen, eine helle, zarte Stimme antwortet.

Liebevoll betrachtet die Erwachsene die schmale kleine Gestalt, die soeben hochmütig vorbeigefahren ist, sich jetzt halb umdreht und zurückschaut. Eine schmutzige Hand winkt. Ein stolzes Lächeln.

Es ist Frühling, sie hat von ihrem Vater ein Fahrrad bekommen, und Mama hat heute Zeit für sie.

Wir sind fast eine ganz normale Familie.

Ab und zu fahren wir nebeneinander her. Wir plaudern mit den Bäumen, an denen wir vorbeikommen, sprechen darüber, wie warm die Sonne an diesem Frühlingstag scheint, über die Blumen, die wir pflücken und zu Hause auf dem Küchentisch in Vasen verteilen werden.

Und wenn wir keine Lust mehr haben, uns zu unterhalten, dann tun wir so, als plauderte mein großes Fahrrad mit dem kleinen. Sie haben so viel zu bereden. Mein Fahrrad erzählt davon, wie die Welt aussah, bevor das kleine Mädchen geboren wurde. Es wohnte damals im Zentrum von Oslo, und es hatte immer Angst. In der Stadt herrschte viel Verkehr, und die Mutter des Mädchens kannte die Verkehrsregeln nicht. Ständig hörten sie lautes Hupen und zornige Proteste hinter sich.

Später kam es auf eine Insel in Schweden, und dort gab es fast keine Autos. Mama fuhr am liebsten die Waldwege entlang, die so schmal waren, daß die Zweige der Bäume manchmal häßliche Kratzer auf dem Lack hinterließen.

Jetzt, auf seine alten Tage, ist es froh, auf dem Lande zu leben und nützlich zu sein; Babysitter, Freunde der Familie – jeder leiht es sich aus.

Und das ist schön. Nicht im Keller zu stehen und zu verrosten.

«Und was ist mit dir, kleines Fahrrad?»

Eine dünne, hohe Stimme erklärt, daß dies sein erster Frühling ist und es ein bißchen Angst davor hat, umzufallen und Schrammen zu bekommen.

Mein Fahrrad schildert dem anderen den Winter, und wie verlassen man sich fühlen kann, wenn man im dunklen Keller zwischen Gartenmöbeln, Schubkarren und Spaten steht und nie weiß, wann die Tür endlich aufgeht und ein geschäftiges Hin und Her den nahen Frühling ankündigt. In dieser Umgebung zieht es mein Fahrrad vor, sich schlafend zu stellen; mit einem Schubkarren kann man sich ohnehin nicht vernünftig unterhalten.

Manchmal muß es sich die Ohren zuhalten, wenn die Hängematte, die erst ein Jahr alt und noch leuchtend blau ist, es seiner verblaßten Farben und des fehlenden Gepäckträgers wegen verspottet.

«Oh, Mama», sagt Linn, «können wir nicht einen Gepäckträger und eine Werkzeugtasche kaufen?»

Schnell muß ich mein Fahrrad erklären lassen, daß es zu alt ist, um so viel zusätzlichen Ballast zu tragen.

Wir rufen den Bäumen am Wegrand, die groß und ungeschlacht und nackt aussehen, weil sie noch keine Blätter haben, aufmunternde Worte zu.

«Ist es gefährlich, in der Nacht hier draußen zu sein?» fragt Linn die Bäume.

«Oh, nein», antwortet einer von ihnen mit brummiger Stimme, «wir leisten uns ja gegenseitig Gesellschaft. Es ist bestimmt viel schlimmer, ein Fahrrad zu sein und bei Dunkelheit am Gartenzaun zu lehnen, während Linn in ihrem Bett schläft und sich nicht mehr darum kümmert.»

«Mama, glaubst du, die Fahrräder haben Angst?»

Das große Fahrrad gesteht, daß es sich in einer finsteren, windigen Nacht schon ein bißchen fürchtet. Daß es sich manchmal sehr einsam fühlt.

«Oh, Mama», seufzt Linn.

Und dann sind wir wieder zu Hause.

Meine Tochter möchte nicht hineingehen.

Sie sitzt auf den Stufen und streichelt das alte, häßliche Fahrrad. Ihre Augen sind feucht, und ich muß mich neben sie setzen und sie daran erinnern, daß wir doch nur gespielt, daß wir das alles doch nur erfunden haben.

Wir sitzen lange dort und bekommen ein kaltes Hinterteil.

Schließlich muß das große Fahrrad sagen, daß es gerne in Frieden gelassen werden möchte. Es kann viel besser denken, wenn es allein ist. Außerdem fürchtet es sich nachts gar nicht und fühlt sich auch nicht einsam.

Das hat es nur behauptet, um sich interessant zu machen. Bäume sind immer eine angenehme Gesellschaft, und die Tannen um das Haus herum unterhalten sich oft mit ihm.

Beim Abendessen läuft Linn immer wieder zum Fenster – schaut die Bäume an, das große und das kleine Fahrrad. Aber wir reden nicht mehr davon, denn es gibt eine Kindersendung im Fernsehen; anschließend lese ich ihr noch eine Weile vor, dann folgt das Nachtgebet.

Ich decke sie zu, und sie schläft ein und seufzt, als hätte sie traurige Träume.

Bevor ich zu Bett gehe, rollen ein altes und ein neues Fahrrad in die Diele, wo sie Licht und Wärme, Mäntel und Jacken und den hübschen, mit braunen Steinen eingelegten Tisch um sich haben.

Dort stehen sie jetzt jede Nacht. Letzten Endes kann man ja nie ganz sicher sein...

Das Norwegische Theater ist mit *Nora* auf Tournee.

Der Frühling ist in diesem Jahr sehr zeitig gekommen; warm und heiter, wird er mit dünnen Blusen begrüßt, als wäre schon der Sommer da.

Wir fahren durch Hardanger. Die Landschaft ist so schön, daß es innerlich schmerzt. Ich erlebe meine Heimat auf eine ganz neue Art: Berge, die sich in friedlichen, glitzernden Fjorden widerspiegeln – Berge, die in einen strahlenden Himmel aufragen. Hier und da auf einem schattigen Hang noch Schnee.

Die Straße ist eine Reise durch verschiedene Jahreszeiten. Was einmal Früchte sein werden, sind jetzt schöne Blüten. Sanfte, zarte Farben. Die Hänge sind übersät von blauen und roten und gelben Wiesenblumen, die ich noch nie gesehen habe; und wir meinen, den betäubenden Duft der Apfel- und Kirschblüten zu sehen, ehe wir die Fenster öffnen und ihn zu uns hereinströmen lassen.

Eine Zeitlang sind wir hoch oben, umgeben von schneebedeckten Bergen, die nichts von dem Frühling wissen, an dem wir soeben vorbeigefahren sind.

Schmale gewundene Straßen – manchmal müssen wir zurückstoßen, bis die Hinterräder fast über dem Abgrund hängen, um weiterzukommen.

Wasserfälle, die wildschäumend die Berglehnen herabstürzen, als wären sie außer sich vor Freude darüber, daß das Eis geschmolzen ist. Im Licht glitzernd – Milliarden von Diamanten auf ihrem Weg zur See.

«Oh, dieses Norwegen, ich verstehe, daß man dafür ein bißchen leiden kann.»

Wir haben unser eigenes Orchester mit und können all diese Schönheit feiern. Ein Fiedler sitzt neben mir, hager und knochig, seine Geige unter dem Kinn. Und jetzt *erlebe* ich den *Hochzeitszug in Hardanger* einmal und weiß, warum die Hardanger Fiedel die norwegische Landschaft am besten ausdrückt.

Was für eine herrliche Erfahrung, an einem Tag in Kalifornien den Saft einer frischgepflückten Orange zu trinken und die Hitze wie eine Liebkosung auf dem ganzen Körper und dem Gesicht zu spüren – und am nächsten Tag an Bord einer kleinen Fähre zu gehen, in einen norwegischen Fjord hineinzugleiten und zu wissen, daß man zu alledem gehört.

Drei von uns, die wir in diesem Reisebus sitzen, hatten im gleichen Jahr versucht, in die Schauspielschule einzutreten. Keiner von uns hatte seinerzeit die Aufnahmeprüfung bestanden. Jetzt stehen wir abends zusammen in Hauptrollen auf der Bühne. Unsere Enttäuschungen liegen weit zurück, und inzwischen ist viel geschehen. Wir hängen Erinnerungen nach.

«Wie hast du darauf reagiert?»

«Weißt du noch, wer damals aufgenommen wurde?»

«Was hast du anschließend gemacht? Am Abend danach? In den darauffolgenden Monaten?»

Wir lachen. Sind glücklich, haben uns längst ausgesöhnt mit dem, was einmal so schmerzlich war.

Ich war noch nicht ganz achtzehn und gerade aus London von meinen Schauspielstudien nach Oslo zurückgekommen. Ich glaubte, fast alles zu wissen und zu können, und zweifelte nicht im geringsten an meinem schauspielerischen Talent.

Dennoch steckte tief in mir ein Gefühl der Unsicherheit und eine gewisse Sehnsucht nach meiner Schule in Trondheim. Wo sich meine Freundinnen jetzt in einer behüteten Welt aus Unterricht und Büchern und Elternhaus und Freunden auf die Universität vorbereiteten.

Ich war zum erstenmal *ganz* auf mich selbst gestellt. Ich hatte ein Einzimmerapartment mit eigenem Eingang und dachte, ich würde die Schauspielschule besuchen.

Nachdem ich den Prüfern vorgesprochen hatte – die Julia und die Ophelia –, stand ich in einem Korridor und wartete darauf, daß die Liste mit den Namen der Zugelassenen angeschlagen würde. Und als der Augenblick kam, trat ein großer linkischer Jüngling neben mich und las die Namen der Auserwählten laut vor. Ich gehörte nicht dazu, und etwas starb in mir, während ich gleichzeitig begriff – weil er beim vorletzten Namen abbrach – daß er bestanden hatte. Er lächelte kaum und ging gelassen hinaus, als wäre nichts geschehen.

Jahrelang verfolgte ich seinen Weg. Meine Niederlage wäre mir ein wenig gerechter erschienen, wenn er Karriere gemacht hätte. Jetzt ist er Fischhändler in Schweden, und ich höre, daß er sehr zufrieden ist mit seinem Leben.

Ich stand lange in dem Gang und wußte am Ende die zehn Namen auswendig. Ein paar von den älteren Schülern gingen vorbei und nickten mir zu. Dann trat ich auf die Straße hinaus. Ziellos lief ich den ganzen Abend herum.

Ich war wie vernichtet, und ich hatte das Gefühl, daß bei mir im Leben alles so enden würde. Wie auf dem Tanzstundenball, wo sich die Erfolgreichen von den anderen schieden. Wo die Verliererin in ihrem rosafarbenen Kleid weinend in der Damentoilette stand.

Ich kam nicht auf den Gedanken, daß es bei dieser Aufnahmeprüfung eine ganze Reihe Verlierer gegeben haben mußte. Zukünftige Kollegen, die ich lange Zeit danach in einem Tourneebus treffen würde. Daß wir dann die jungen Leute, die wir einmal waren, gar nicht mehr ernst nehmen, sondern mit ein paar oberflächlichen Worten, mit Lachen und Indifferenz über sie hinweggehen würden.

Damals hatte ich nur Großmama. Am Morgen war ich schon bei ihr und weinte mir die Augen aus. Schluchzte an einer Brust, die nie den Traum gehegt hatte, der nun in mir zerstört war. Innerhalb einer Nacht hatte ich alles Gewohnte, Vertraute von mir abgestreift und stand vor einer neuen Lebensstufe. Eins konnte ich aus dieser Erfahrung lernen – etwas, was schwer zu begreifen war: daß man, unabhängig von äußeren Geschehnissen, sein Schicksal in sich selbst trägt.

Es ist ein langer Prozeß, sich der Dinge bewußt zu werden, Kummer zu akzeptieren, ihn als Teil des Lebens, der eigenen Entwicklung, der persönlichen Wandlungen zu betrachten.

Ein Jahr in Oslo, von dem mir die ersten paar Monate der Einsamkeit am stärksten in Erinnerung sind. Einsamkeit und die Angst, nicht begabt genug zu sein. Monate, die endlos erschienen, ohne jedes Ziel, ohne irgendeine Bedeutung. In einem blauen Tagebuch sorgfältig registriert. Von einem jungen Mädchen, das vor langer Zeit lebte.

Schmerzen, an die ich mich nicht mehr erinnere, Freuden, die nicht mehr zu mir gehören.

Ein winziges Apartment. Tage ohne einen bestimmten Rhythmus. Lange, von schweren Träumen erfüllte Nächte. Eine Ewigkeit zwischen dem Aufstehen am Morgen und der nächtlichen Verlassenheit.

Einziger fester Punkt des Tages war die Bücherei. Stunden, die ich damit verbrachte, mir genaue Notizen über das zu machen, was ich las. Große, stille Räume. Ein Ort, an dem ich mich aufhalten konnte – ein Ort, der mir das Gefühl gab, wenigstens irgendwohin zu gehören.

Man traf Studenten, alte Leute und Hausfrauen dort. Im Winter trieb die Kälte auch Obdachlose herein, die mit einer Zeitung dasaßen, bis die Bücherei geschlossen wurde und die Jagd nach einer Bleibe für die Nacht wieder begann. Keiner sprach mit dem anderen, Kontakte kamen nicht zustande. Man blätterte leise um, damit man nicht störte, keinerlei Aufmerksamkeit auf sich zog.

Eines Tages trank ich in einem Café auf der anderen Straßenseite eine Tasse Tee. Ein Mädchen, etwas älter als ich, setzte sich an meinen Tisch. Wir unterhielten uns eine Stunde lang. Das heißt, sie sprach, und es schien sie nicht zu stören, daß ich schüchtern war und lediglich eine dankbare Zuhörerin abgab. Wochenlang setzte ich mich immer wieder an diesen Tisch, malte mir aus, was wir zusammen unternehmen könnten. Doch sie kam nie wieder.

Gelegentlich fand ich Arbeit – Briefmarken aufkleben, Umschläge adressieren – was immer sich so ergab. Dann konnte ich auch *jeden* Tag zu Abend essen und schrieb nach Hause, mein Schauspielunterricht mache sehr gute Fortschritte.

DER TOURNEEBUS ist ein Segen. Hier will niemand etwas von mir. Ich denke daran, daß Victor Borge einmal gesagt hat, er stehe deshalb so gern auf der Bühne, weil ihn dort kein Telefon erreichen könne.

Stunden angenehmer Plauderei mit meinem Nachbarn. Die Natur in meinem eigenen Land erleben. Manchmal brechen ein paar von uns frühmorgens zu Fuß auf und haben gerötete, glückliche Gesichter, wenn der Bus sie überholt.

Man ist ständig voller Erwartung – jeden Tag ein neuer Spielort, jeden Abend ein neues Publikum. Die Kommunikation mit Menschen, die nicht ans Theater gewöhnt sind. Für Männer und Frauen zu spielen, denen es noch lohnend erscheint, mit dem Fahrrad oder zu Fuß lange Strecken zurückzulegen, um ein Stück zu sehen. Ein Publikum, das in einen kleinen Saal mit unbequemen Bänken gepfercht ist. Eine alte Bühne und schlechte Beleuchtung.

Wir sind die Theatertruppe. Wir haben in einem fremden Hotel gegessen, unsere Kinder und Ehepartner angerufen, uns an provisorischen Toilettentischen geschminkt.

Sie sind die Zuschauer, die dort unten in der Dunkelheit ihr Eigenleben haben. Ihr Atmen, ihr Lachen, ihre Unruhe sind ein Teil unserer Erfahrung, unserer Wahrnehmung. Hin und wieder springt ein Funke über, wir werden eins. Das Auditorium verharrt in regungsloser Stille, die Bühne ist lebendig.

Danach im Hotel für einige von uns Wein und Kerzenlicht bis in den frühen Morgen. Und am nächsten Tag fahren wir weiter, einem neuen Ziel entgegen. Ein Bus voll mit Kostümen, Dekorationen und Koffern. Und ein paar Menschen, die für kurze Zeit zusammenleben.

Eines Morgens spüre ich einen Klumpen im Magen, jenen lastenden Druck, den man hat, wenn man ohne besonderen Grund traurig ist. Dem Kollegen, der neben mir sitzt, geht es ebenso. Wir überlegen, was so einen plötzlichen Kummer verursachen könnte. Und auf einmal verschwindet er, weil wir ihn teilen.

Unsere Vorstellungen finden in ländlichen Gemeinden statt, die von den größeren Truppen übergangen werden. Wir spielen vor vollen Häusern. Manchmal müssen noch Stühle aus der Nachbarschaft geholt werden.

In Seljord gibt es eine Statue meines Großvaters. Sie steht neben der Straße, und ich bin stolz, als wir vorbeifahren. Er gründete hier eine neue Schule – die erste ihrer Art in Norwegen. In diesem Teil des Landes ist er bekannter als ich.

Einmal begegnete ich in Oslo seinem Neffen.

Ich war jung verheiratet und an demselben Theater engagiert wie jetzt. Er, ein alter, schmächtiger Herr von fünfundsiebzig, war Junggeselle und Staatsarchivar und wurde – genau wie ich – von der Familie gern übersehen.

Eines Abends stand er vor dem Bühnenausgang, sprach mich an und klärte mich darüber auf, daß er mein Großonkel sei. Würde ich ihm die Ehre erweisen, irgendwann nächste Woche mit ihm zu Abend zu essen? Natürlich war auch mein Mann herzlich eingeladen. Wir kamen überein, uns im Valkyrie-Restaurant zu treffen.

Ich machte mir nicht einmal die Mühe, mich für den Anlaß umzuziehen. Ich beschwatzte meinen Mann, mich zu begleiten, damit wir hinterher gemeinsam über den Abend lachen könnten.

Wir wurden vom Oberkellner mit formvollendeter Höflichkeit empfangen. Mit einemmal lag ein Hauch von Eleganz über dem alten Restaurant. Ich hatte es vorher immer mit Biertrinken und Frikadellen in Verbindung gebracht. Man nahm uns aufmerksam die Mäntel ab, und der Garderobier flüsterte uns zu, Herr Ullmann warte oben schon auf uns. Seine Stimme klang respektvoll. Mein Großonkel war «bekannt» und ohne Zweifel kein seniler Schwachkopf, mit dem sich zwei junge Leute in einem Akt der Barmherzigkeit ein wenig abgeben konnten.

Der Tisch war mit Blumen dekoriert – ich bekam eine Rose überreicht und mein Mann eine rote Nelke für sein Knopfloch.

Der alte Herr trug einen abgenutzten schwarzen Anzug. Sein spärliches Haar war sorgfältig gekämmt und an den Kopf gedrückt. Er war nervös und hatte kalte Hände, als er uns begrüßte.

Es sollte einer der schönsten Abende werden, die ich je erlebt hatte.

Das Menü und die Konversation waren sorgfältig gewählt, und als ich mich nicht mehr schämte, weil ich in Jeans erschienen war und mich über das Ganze amüsieren wollte, kam ich Papas Familie näher als je zuvor.

Jeden Gang begleitete ein kleiner Vortrag. Enthusiastische Worte über das, was die Familie symbolisierte.

Als wir beim Dessert anlangten, saßen wir alle drei sehr gerührt da und tranken einander zu.

Ich stellte Fragen, und er erzählte. Gab mir einen Familienstammbaum, den er mit der verschnörkelten Schrift eines alten Mannes peinlich genau aufgezeichnet hatte.

Und genauso feierlich, wie wir empfangen worden waren, wurde uns schließlich bedeutet, daß das Abendessen vorüber sei.

Mein Großonkel hatte die Stunden ungeheuer genossen, aber er war ein alter Mann, und jetzt mußte er sich zur Ruhe begeben.

Seine magere Hand verschwand fast in der meinen. Ich umarmte ihn spontan, und er räusperte sich verlegen.

Ich schickte ihm zwei- oder dreimal Blumen und einen Brief, aber ich hatte so viel zu tun, daß ich es immer wieder aufschob, ihn zu uns einzuladen.

Einmal kam er mir auf einem Gehsteig entgegen. Aber ich wußte nicht, was ich sagen sollte, und überquerte rasch die Straße. Und dann lief ich hinter ihm her, weil ich ihm sagen wollte, wie gern ich ihn hatte. Ich fürchtete auch, daß er mich vielleicht gesehen hatte. Aber ich konnte ihn nicht finden. Kurz danach las ich in der Zeitung, daß er gestorben war. Ich ging nicht zur Beerdigung. Ich wollte an dem Tag niemandem von der Familie begegnen.

LINNS STIMME am Telefon. Sie klingt abweisend und zuge-
knöpft. Ich sage ihr, daß ich sie liebe. «Mein Kleines, du
bedeutest mir mehr als alle anderen Menschen auf der
Welt.»

«Das ist gar nicht wahr.»

Ihre Worte treffen mich tief.

Ich bin noch immer auf Tournee, unser Bus holpert einem neuen abgelegenen Teil Norwegens entgegen. Wir
sind fast ständig unterwegs. Zu Hause umsorgen Kindermädchen und Nachbarn meine Tochter, tun das, was
meine Arme und Hände tun sollten. Vielleicht spürt Linn
das Mitleid, das sie bestimmt mit ihr haben, auch wenn sie
sich bemühen, es das Kind nicht fühlen zu lassen.

Ich bin mir bewußt, daß für diese Menschen mein Beruf
und mein Erfolg fast einem Versagen gleichkommen, denn
ich fülle meinen Platz im Haushalt nicht aus. Sie müssen
mich dort ersetzen. Die kritischen Gedanken, die ihnen
vermutlich sehr oft kommen, verstehe ich, weil es auch die
meinen sind.

Ich sitze in einem Bus, bin von Menschen umgeben, und
ich habe Angst, daß meine Einsamkeit auch auf meine
Tochter übergreift. Ich für mein Teil kann damit leben. Sie
aber sehnt sich vielleicht nach irgendeiner menschlichen
Beziehung als Ausgleich für das, was ich ihr nicht gegeben
habe.

Ich erinnere mich an meine eigene Kindheit – an die
Zeit, in der man allein in seiner Welt war und die großen
Erwachsenen beobachtete und über ihre Betriebsamkeit
staunte. Alles, was sie taten, erschien so wichtig – einfach,
weil man es nicht verstand und weil sie immer so geschäftig wirkten. Man war klein und stand am Rande, denn in

jener Welt der Erwachsenen schien kein Platz für Kinder zu sein.

Linn soll etwas besonders Schönes haben, wenn ich heimkomme. Ich werde mit ihr ins Theater und ins Kino gehen. Sie auf den Schoß nehmen und ihr von der Zeit erzählen, als Mama ein kleines Mädchen war. All das will ich tun, wenn die Tournee beendet ist. Bevor das Telefon wieder zu läuten beginnt, bevor die Forderungen all der Leute, die über mein Leben wie über einen Besitz verfügen, dringlicher werden als ihre.

Wir werden einander ein paar Tage lang gehören; aber dann wird mein Gewissen mich langsam wieder einzuengen beginnen – die unbeantworteten Briefe, die unerledigten Dinge. Und nach und nach werde ich wieder die berufstätige Frau werden, auf der Bühne oder vor der Kamera stehen oder Besprechungen mit irgendwelchen Leuten haben und an sie denken, die zu Hause geblieben ist. Die ich immer im Stich zu lassen scheine, weil ich keine Lösung finde, wie ich ihre Kindheit und mein Erwachsenenleben miteinander verbinden könnte.

Wie es die Menschen in Romanen so schön können und – wie ich glaube – andere Frauen es bei sich zu Hause fertigbringen.

«Es gibt ein junges Mädchen in mir, das nicht sterben will ...»

Die Schauspielschule hatte sie nicht aufnehmen wollen. Aber ein kleines Provinztheater brauchte eine junge Schauspielerin. Es kam der große Tag.

Der Zug nach Stavanger verließ den Osloer Bahnhof. Sie war achtzehn, strahlte vor Glück – endlich war es soweit: In der Handtasche steckte wohlverwahrt ein Bühnenvertrag, ein vielbewundertes Papier, schon etwas abgegriffen von all den Fingern, die es entfaltet und wieder zusammengelegt hatten. Er war jedem gezeigt worden, der ihn sehen wollte – und vielen, die sich gar nicht dafür interessierten.

Die Jahresgage entsprach 600 Dollar, die Glückseligkeit wog Millionen auf. Die erste Rolle, die sie erhielt, war die der Anne Frank. Wie Tausende anderer junger Mädchen auf der ganzen Welt sollte sie Annes Gedanken und Annes Schicksal nachleben. Mit ihr hoffen. Mit ihr glauben.

Wie die meisten Darstellerinnen der Anne Frank hatte sie sofort Erfolg. In der Unschuld dieses kleinen jüdischen Mädchens fand sie etwas von ihrer eigenen Traumvorstellung wieder: daß Liebe das Wichtigste war, was es gab – und eine sinnlos erscheinende Welt überdauern würde.

Rosen und Briefe, Interviews und plötzlicher Ruhm. Ohne allzu große Anstrengung war sie jemand geworden, auf den man zählte. Sie gehörte zum Theater und konnte sich Schauspielerin nennen, obschon sie offiziell noch Schülerin war.

Es war genau das, was sie sich erhofft hatte. Wenn man sie erst einmal auf die Bühne ließ, würde ihr Talent nicht länger im Verborgenen und in Träumen verkümmern. Sie hungerte nach Komplimenten, die ihr bestätigten, daß vergangene Mißerfolge nunmehr bedeutungslos waren. Die Leute mußten sie lieben, und wenn sie wahrnehmungsfähig und begabt genug war, würde sie diese Liebe auch festhalten können, wenn der Vorhang schon gefallen war. Sie wünschte sich sehnlichst, daß die Zuneigung des Publikums auch das Abschminken überdauerte. Sie bemaß ihren eigenen Wert danach, wie viele Menschen sie als Frau bewunderten, wie weit sie den Erwartungen anderer entsprach. Die Fassade durfte keine Schrammen aufweisen. Sie wollte gefallen. Sie vergaß, daß sie allein, unsicher gewesen war. Sie vergaß, daß es neben der Bühne noch eine andere Welt gab.

Nach meinem Debüt als Anne Frank schrieben die Kritiker, ich *sei* Anne. Für mich bedeutete das nicht, daß es in meinem Leben, meiner Bühneninterpretation oder meiner Erscheinung unmittelbare Parallelen zu der Heldin des Tagebuches gab, sondern daß es mir gelungen war, mir für diese zwei Stunden auf der Bühne Annes Seele auszuleihen. Anne spielen zu lassen. Viele Jahre vergingen, bevor ich wieder eine so vollständige Identifizierung erlebte.

Mein Spiel war nicht Verstellung, sondern Wirklichkeit. Eine Wirklichkeit, die zum Theater gehörte. Es war wie in meiner Kindheit: Ich lebte in einer Welt der Phantasie, aber ich nahm reale Gefühle und Sehnsüchte in diese Phantasien auf. Ich entrüstete mich, wenn jemand meinte, es sei nur eine Rolle.

«Ich spiele nicht, ich täusche nichts vor.»

Zwischen jenen Bühnenwänden in Stavanger glaubte ich, gefunden zu haben, was ich suchte.

Ich kam immer schon früh am Morgen ins Theater und fühlte mich in diesem Halbdunkel zu Hause. Die staubige Luft, die engen Garderoben, die Bühne mit ihren ausgetretenen, unebenen Brettern – das war der Platz in der Welt, nach dem ich mich gesehnt hatte. Proben und Diskussionen, bei denen niemand auf die Uhr sah. Das gedämpfte Stimmengewirr, bevor sich abends der Vorhang hob. Das Rampenlicht. Die Erregung. Das Publikum. Die Spannung. Die Rolle, die ihr eigenes Leben bekommen sollte. Weinen, Lachen, Sehnsucht und Zorn – von einer imaginären Gestalt entlehnt. Emotionen, die ich kaum gekannt hatte. Die Augen und die Mimik und die Gesten meiner Kollegen. Manchmal waren wir einander so nahe, daß irgendwelche anderen Beziehungen außerhalb des Theaters gar nicht mehr zu existieren schienen. Keine Liebe, kein Haß konnte stärker sein als die Leidenschaften, die allabendlich zwischen acht und halb elf auf der Bühne brodelten.

Bei den meisten Schauspielern gibt es dieses vollständige Aufgehen im Beruf nur in den ersten Jahren.

Nur ein paar wenige finden nie in das Leben außerhalb der Bühne zurück. Sie werden alt, und sie rezitieren, was sie vor dreißig Jahren einmal gespielt haben. Man sitzt Hamlet oder König Lear gegenüber. Fühlt sich ein wenig unbehaglich, weil man fürchtet, eine gedankenlose Bemerkung könnte ihn aus einem wunderbaren Traum aufwecken, der ein ganzes Schauspielerleben hindurch gedauert hat.

Und sogar noch länger.

Iᴄʜ ᴇʀɪɴɴᴇʀᴇ ᴍɪᴄʜ an Tourneen, auf denen jeder von uns überall mit Hand anlegen mußte. Kleine Pensionen mit kärglichen Mahlzeiten. Sauertöpfische Wirtinnen, die mißtrauisch unsere Koffer beäugten, wenn wir abfuhren. Oder das Himmelbett in einem kleinen Landpfarrhaus, wo ich für die Nacht einquartiert wurde und wo der Geistliche selbst den Frühstückskaffee und frische Semmeln aus der Küche brachte.

Das Leben in Untermiete. Ein älteres Ehepaar, das mich wie eine Tochter behandelte. Darauf achtete, daß ich morgens ein Glas Milch trank, mich liebevoll schalt, wenn ich später heimkam oder meine kleine Dachstube allzu unordentlich zurückließ. Güte, die ich nie zurückgeben kann.

Abends aß ich bei Guri. Ihre Wohnung war ein Treffpunkt für Menschen, die in möblierten Zimmern lebten. Meist Männer. Sie war groß und dick und voller Energie und hatte graues, kurzgeschnittenes Haar. Ihr Gesicht hatte nie eine Spur Make-up gesehen. Ich weiß nicht, wie alt sie war.

Sie war unbarmherzig kritisch, ehe man vor ihren Augen bestanden hatte und Stammgast bei ihr wurde. Unechtes und Verstellung entlarvte sie sofort. Jeder nannte sie Guri, als wäre sie ohne Familiennamen geboren worden und sollte auch so sterben. In der Stadt war sie eine Institution. Sie kam aus Jaeren, einer von Wind umtosten, steinigen Landschaft, die in Guri ihr eigenes Abbild geschaffen zu haben schien.

Manchmal enwickelte sich an Guris Eßtisch eine Liebesgeschichte. Aber nicht sehr oft; ihr Adlerauge war immer wachsam, und keine Frau durfte damit rechnen, einen ihrer Lieblingsgäste kampflos fortschleppen zu können.

Als eingefleischte alte Jungfer zog sie es vor, daß sich ihre Gäste mit Gesang, Volkstänzen, Kartenspielen und üppigen Mahlzeiten beschäftigten statt mit abendlichen Flirts. Liebespaare entlockten ihr nur ein verächtliches Schnauben; dennoch fand sie sich zuverlässig zu jeder Hochzeit ein, für die sie mitverantwortlich war, ganz gleich, in welchem Teil Norwegens sie stattfand.

Sie thronte in ihrem großen braunen Sessel, in den sich niemand anders zu setzen gewagt hätte. Die unvermeidliche Zigarette zwischen Daumen und Mittelfinger der einen Hand – den Zeigefinger der anderen erhoben, um Gespräche und Gesang zu dirigieren. Und wir sangen sehr oft.

In ihrem Haus entstanden Freundschaften für das ganze Leben. Junge Leute reiften dort, und ältere Menschen fanden ein Milieu, das sie in ihrer Jugend vermißt hatten. Wir waren eine bunt zusammengewürfelte Gruppe. Eine seltsame Mischung von Berufen und Talenten, Weisheit und Schüchternheit. Mit einer alten Frau als Bindeglied. Als hätte sie, von ihrem Hofstaat umgeben, in dieser spärlich beleuchteten Wohnung schon immer existiert.

Wir liebten sie und fürchteten uns ein wenig vor ihr. Wir wetteiferten um ihre Gunst. Ihre Füße in den schwarzen Wollstrümpfen stampften zornig und demonstrativ auf den Boden, wenn ein neuer weiblicher Gast elegant gekleidet und frisiert zu Tisch kam.

In Guris Wohnung lernte ich einen jungen Arzt kennen. Beim Kaffee schwelgte er in der utopischen Vorstellung, wie wunderbar es wäre, wenn sich alle Frauen der Welt vereinigten. Nur sie konnten die Menschheit retten. Er würde ihnen auf einem Schimmel vorausreiten und sie anführen.

Wir verliebten uns und träumten von den Dingen, die wir im Leben gemeinsam machen könnten. Guri kam trotz der großen Entfernung nach Trondheim und brachte Fröhlichkeit und Güte an unsere Hochzeitstafel. Aber sie sah voraus, daß unsere Ehe keinen Bestand haben würde.

EIN DINNER für vierhundert Gäste in Cannes. Wir essen Hummer und trinken Champagner. Mit Brillanten und Perlen überladene Hände führen Hummerscheren an den Mund. Berühmtheiten, Reichtum und Apathie an jedem Tisch.

Ich bin auch dort.

Mein Tischnachbar redet eifrig auf mich ein; es kümmert ihn nicht, daß ich kein Wort verstehe. Zweimal sage ich ihm, daß mein geringes Schulfranzösisch längst meinem Gedächtnis entfallen ist. Doch er spricht unermüdlich weiter. Manchmal lächle ich ihn kühl an und nicke mit dem Kopf, und hin und wieder wende ich mich etwas zur Seite und trinke einem gutaussehenden Mann am Nebentisch zu. Er betrachtet mich unentwegt aus halbgeschlossenen Augen und läßt seine Hummerscheren unberührt.

Draußen eine milde französische Nacht. Ich weiß, was für ein Gefühl es ist, aus dem Lärm des strahlend erleuchteten Speisesaals in eine solche Nacht hinauszugehen. Von Stille und Wärme umhüllt zu werden und nur das Meer zu hören.

Ich erinnere mich an andere Galadinner, an viel zu viele; wenn ich nicht als Ehrengast neben dem Präsidenten des Filmfestivals säße, wäre ich längst aufgestanden und entschlüpft.

Ein paar weiße, geschminkte Gesichter und viele sonnengebräunte. Leute, die Zeit und Geld genug haben, um dem Sommer das ganze Jahr hindurch überallhin zu folgen. Üppig beringte Hände (sie können zweifellos sehr zärtlich sein und den Geliebten in den Schlaf streicheln), die nervös über dem Essen, den Weingläsern flattern – groteske Instrumente für die Zurschaustellung von Schmuck und

Langeweile. Der Mann am Nebentisch hebt sein Champagnerglas, nickt mir zu. Seine Lider haben sich noch tiefer gesenkt. Er bewundert sich in seinem Suppenlöffel.

Im Saal geht ein Teil der Lichter aus, draußen wird ein Feuerwerk abgebrannt, es ist unglaublich schön.

Und dann stehen wir auf und verabschieden uns.

Ich entfliehe dem unbekannten Bewunderer, der sich mir etwas schwankend nähert, doch zuerst werfe ich ihm noch einen leidenschaftlichen Blick zu, damit er weiß, wie sehr ich unter dieser schmerzlichen und jähen Trennung leide.

In einer Limousine zu meinem Hotel – noch immer wird französisch auf mich eingeredet – und dann endlich allein in meinem Zimmer.

Ich sitze am Fenster und schaue auf den Strand hinunter. Ich lächle und denke an einen Abend, den ich mit einem Mann, den ich liebte, unter einer Fichte verbrachte, weil wir sonst nirgendwohin gehen konnten. Unsere Kleider waren voller Moos und Gras, und wir lachten und waren glücklich und allein auf der Welt.

WIR KAUFTEN breite goldene Ringe. Waren beide sehr verlegen, als wir in dem Geschäft standen und sie aussuchten. Der Frau, die uns bediente, erzählten wir, sie seien für jemand anders. Ich merkte, daß er mit ihr flirtete.

Eines Abends bemalte er Eier und versteckte sie, ich hatte vergessen, daß Ostern war.

Einmal sagte ich ihm, ich glaubte, ich sei schwanger, wolle aber kein Baby. Er weinte.

Wir hatten einen Wagen namens Charley. Er war blau und nicht gerade neu, als wir ihn erstanden. Im Sommer machten Charley und er und ich Campingtouren. Abends schrieben wir uns Briefe, in denen wir uns gegenseitig versicherten, wie glücklich wir seien, miteinander verheiratet zu sein. Morgens erwachten wir immer schon sehr früh, weil es in dem Zelt heiß war und uns Insekten plagten.

Wir zogen nach Oslo. Keiner von uns beiden verdiente viel. Jeden Monat stellten wir ein Budget auf, an das wir uns ungefähr drei Tage hielten. Später gerieten wir uns darüber in die Haare.

Ab und zu besuchten wir Freunde oder gingen ins Kino oder ins Theater. Ich hatte seine Familie sehr gern.

Er spezialisierte sich auf Psychiatrie, und ich hatte mein Engagement am Norwegischen Theater.

Ein Kokon der Geborgenheit umgab uns. Unser Gefühl der Verbundenheit war von der Art, wie es zwischen Bruder und Schwester besteht, die dieselbe behütete Vergangenheit haben. Wir waren zufrieden mit unserem Dasein, hielten uns an die gesellschaftlichen Regeln und taten selten etwas, das aus dem Rahmen fiel.

Dann und wann leerten wir eine Flasche Rotwein und schmiedeten ehrgeizige Zukunftspläne. Ich war sein Kind und protestierte nie, wenn er mich als solches behandelte. Er sprach einen ganzen Tag nicht mit mir, als ich ihm sagte, ich wolle meinen Führerschein machen. Er war der Meinung, das sei eine Verantwortung, die ich unmöglich tragen könne.

Ich war unselbständig und glücklich darüber, daß er der Stärkere war und mich beschützen wollte.

Manchmal spürten wir plötzlich Haßgefühle gegen den anderen aufkommen, weil wir in eine Beengung geraten waren, die sich nicht definieren ließ. Wir glaubten an eine gemeinsame Zukunft, doch unsere Träume waren sehr unterschiedlich.

Unsere Ehe hielt fünf Jahre.

Mit niemand anders kann ich je noch einmal so jung sein.

Der Mann, mit dem ich all diese Jahre verheiratet war, hieß Jappe.

Ich bin auf der Party zu seinem vierzigsten Geburtstag. Ich bin nicht die Gastgeberin. Man hat mich fast an das untere Ende des Tisches gesetzt. Doch von da kann ich den Mann besser sehen, mit dem ich zusammengelebt habe, als ich sehr jung war. Er ist nicht mehr so schlank wie früher – er sieht glücklicher aus, aber auch müder.

Seine Frau ist all das, was ich nicht gewesen bin. In einigen Dingen hätte ich vielleicht werden können wie sie, wenn wir uns wirklich darum bemüht hätten.

Er hat ein gutes Leben, glaube ich.

Die Hälfte der Leute in der Tischrunde sind gemeinsame Freunde; die anderen haben er und sie erst nach meiner

Zeit kennengelernt. Seine Brüder sind da – alle drei – und ihre Frauen und seine Mutter, Astrid, und seine Tante Ella, die noch jetzt sowohl für mein Kind als auch für die Kinder meiner Schwester Weihnachtsgeschenke strickt.

Ich erinnere mich an vieles, erkenne vieles, sehe Fäden, von denen ich mich zum Teil bereitwillig einspinnen lasse. Aber ich nehme auch tiefe Abgründe der Fremdheit wahr.

Ich schaue Jappe an und fühle, wie gern ich ihn habe und wie schön es ist zu wissen, daß es ihn gibt.

Einmal besucht er mich mit seiner kleinen Tochter in meinem Sommerhaus. Sie ist zwei Jahre alt. Sie spazieren zusammen über die Felsen, und ich stehe am Fenster und beobachte sie. Niemand sieht mich, und ich weine. Er hält ihre Hand, deutet auf dies und jenes, erklärt ihr etwas. Oh, mit so viel Geduld. Und sie ist winzig und so geborgen bei ihm. Ein Lächeln, das ich nie an ihm gesehen habe.

Vor vielen Jahren, als wir beschlossen hatten, uns scheiden zu lassen, saßen wir Hand in Hand in der Kanzlei des Scheidungsanwaltes. Er fragte, warum wir uns trennen wollten, wenn wir doch so gute Freunde seien.

«Eben deshalb», erwiderten wir fröhlich.

Wir standen auf der Straße und verabschiedeten uns, weil ich nach Schweden ging – zu Ingmar –, und als wir keine fröhlichen Worte mehr fanden, gab es nichts mehr zu sagen. Zumindest nichts, was uns über die Lippen gekommen wäre.

«Ja, dann auf Wiedersehen», sagte er und ging fort, ohne sich umzudrehen. Ich drehte mich unaufhörlich um, für den Fall... Es war so sonderbar, ihn auf einmal zwischen all den anderen Leuten zu sehen. Von denen ihn niemand beachtete. Nur ich wußte, wer er war und was hinter ihm lag.

Wenn ich ihm hätte nachlaufen können, hätte ich es getan. Aber mein Mund war unfähig zu sprechen, meine Füße waren nicht imstande, sich in seine Richtung in Bewegung zu setzen.

Ich lag in einer Klinik, um mein Kind zur Welt zu bringen. Ich war nach Norwegen gekommen, weil ich wollte, daß es hier geboren würde. Plötzlich stand er da in seinem weißen Kittel, und als er nähertrat, fiel ein großer Teil meiner Angst von mir ab. Er saß ganz still neben meinem Bett. Ab und zu nahm er meine Hand und lächelte. Wir sagten nichts. Aber an jenem Tag wurde er zu einem wichtigen Teil meines Lebens. Und ich lernte etwas über die Liebe, was ich vorher nicht gewußt hatte.

Wie ich auch an dem Tag etwas lernte, an dem ich strahlend vor Glück, weil Ingmar und ich so viel miteinander gemein hatten, zur Anwaltskanzlei ging, um die Scheidungspapiere zu unterzeichnen, die mehrere Jahre der Trennung besiegeln würden. Jappe war bereits dagewesen. Plötzlich legte ich meinen Kopf auf die Papiere und schluchzte. Ich hatte das Gefühl, mit meiner Unterschrift Jappe aus meinem Leben zu streichen.

Als wir noch verheiratet waren, verbrachte ich einmal eine Nacht in seinem Zimmer im Krankenhaus. Er hatte Dienst, und ich wollte bei ihm sein, weil ich mich nachts fürchte, wenn ich allein bin, und außerdem hatte ich eine Mittelohrentzündung.

Am frühen Morgen stürzte eine Krankenschwester herein und rief ihn zu einer Entbindung, die offenbar kompliziert werden würde. Es war die erste Geburt, für die er die alleinige Verantwortung trug.

Ich blieb mit meinem entzündeten Ohr zurück. Das Trommelfell platzte, und ich hatte furchtbare Schmerzen.

Als er wiederkam, wagte ich nicht, etwas zu sagen. Ich lag still da und wartete darauf, daß er etwas fragen oder sprechen würde; aber auch er war stumm, mit seinem eigenen Erlebnis beschäftigt. Wir schwiegen also, vielleicht, weil nun der Tag anbrach und jeder Angst hatte, den anderen mit Problemen zu belasten. Angst davor, etwas von der Liebe des anderen einzubüßen, wenn er ihn in seinen Gedanken störte. Die Kunst, Liebe zu geben, beherrschten wir nicht; unser Schweigen löschte eine Geburt und ein geplatztes Trommelfell aus.

Er war ein Mensch, mit dem ich lange zusammengelebt habe, aber es scheint, als hätten wir nie Zeit gehabt, einander kennenzulernen.

Am meisten betrübt mich das, was wir nie ausgesprochen haben.

Eines Abends will Tassa nicht draußen bleiben. Es ist jetzt Sommer, und wir sind der Meinung, daß die Katze sehr gut in einer ihrer beiden Kisten auf der Veranda schlafen kann. Sie kratzt am Fenster, miaut und starrt mit flehenden Blikken dorthin, wo ich sitze und lese. Aber ich bleibe hart.

Als ich im Bett bin und das Licht ausschalte, höre ich ihr klägliches Jammern wieder. Irgendwie hat sie zu meinem Schlafzimmerfenster gefunden und davor Posten bezogen, um mich zu erweichen. Unsere Tassa, die mit vier struppigen, streunenden Katern ihr Liebesspiel getrieben hat. Als ich ans Fenster gehe, wird ihr Miauen ganz zart und dünn, dann völlig lautlos. Nur das Maul öffnet sich zu einer stummen, beschwörenden Bitte. Ich merke mir den Effekt für eine eventuelle spätere Verwendung auf der Bühne.

Streng sage ich zu Tassa, daß sie fortgehen soll. Mache ihr klar, daß keine Hoffnung besteht, eingelassen zu werden.

Ich kehre ins Bett zurück, höre noch eine Weile ihre Stimme in der Nacht, und dann ist es endlich still. Ich schlafe. Eine halbe Stunde später sind es plötzlich zwei. Zwei Stimmen, zu einem sehnsüchtigen, flehenden Duo vereint. Zwei Katzenstimmen, genau unter meinem Fenster.

Es ist das erstemal seit Tassas wilder Nacht mit der Katerbande, daß ich sie mit einem von ihnen sehe. Er ist der hübscheste – ein schwarzweißer. Der, von dem ich gehofft hatte, daß er der Vater der unvermeidlichen Kätzchen werden würde.

Jetzt hocken sie nebeneinander da und miauen zu mir hinauf, als begehrten sie gemeinsam unverzüglich Einlaß für Tassa.

Während des Katzenkonzertes dort draußen in der

Sommernacht schlafe ich ein und wache nicht mehr auf, bis Linn am nächsten Morgen hereingerannt kommt und verkündet, daß Tassa mit einem Kätzchen im Maul auf der Veranda warte.

Wir laufen hinaus. Sie wirft mir einen melancholischen Blick zu. Als wäre mein Mangel an Verständnis die Ursache all ihres Leidens gewesen. Neben ihr kriecht eine blinde Miniaturausgabe des schwarzweißen Gefährten aus der vergangenen Nacht über den Boden. Es sieht Tassa ähnlich, nur ein Katzenkind geboren zu haben.

Wir stellen Linns alte Wiege auf die Veranda und richten darin ein wunderschönes Bett her. Es gibt eine Meinungsverschiedenheit mit der jungen Mutter, die ihr Kind unbedingt in meinen Schrank tragen will.

Endlich nimmt sie dann doch damit vorlieb, sich – von Sonnenschirmen und Tischen geschützt – draußen niederzulassen. Sie wird wie eine Königin behandelt.

Im Laufe des Tages sehe ich, wie aus Tassa eine Mutter wird.

Es geschieht ganz allmählich. Am Anfang springt sie jedesmal, wenn jemand vorbeikommt, auf. Läuft hinter allen von uns her, um zu sehen, ob etwas Interessantes vor sich geht. Das Kätzchen wird gerade nur so mitgeschleppt, es hängt an ihrem Bauch, als gehörte es nicht zu ihr, ein fremdes Ding, das sich an ihrem Körper festgeklammert hat.

Sie möchte fortwährend ins Haus gehen, wir müssen sie zu dem Kätzchen zurücktragen, dem sie sich zu entziehen versucht. Wir müssen sie ermahnen. Sie beschaut ihr Neugeborenes voll Resignation und leckt zerstreut sein Fell.

Doch als die Sonne am Nachmittag den Himmel rosig färbt, ist Tassa eine Mutter geworden. Friedlich und gelöst liegt sie in ihrem Korb. Gestattet uns herablassend, ab und zu einen Blick auf ihr Katzenkind zu werfen, über das sie schützend ihre Pfote gelegt hat. Gleichgültig betrachtet sie das Festmahl, das wir ihr bringen, läßt sich erst herab, es zu verzehren, als sie unbeobachtet ist. Niemand soll diese Supermutter weltlicher Gedanken bezichtigen können.

Linn sitzt geduldig neben ihr und erinnert sie taktvoll an ihre alten Spiele. Doch die Zeit, in der Tassa mit roten Bändern am Schwanz herumspazierte, ist ein für allemal vorbei.

«NORA» IST WIEDER AUF TOURNEE. Diesmal wollen wir der Mitternachtssonne im nördlichen Norwegen Konkurrenz machen. Eine Woche lang bin ich unfähig zu schlafen, weil es so schön dort ist.

Was für ein Land, meine Heimat! Schneebedeckte Berge und der Geruch nach Heide und Moor. Eine frische Brise, die über kristallklares Wasser heranweht, von Fjorden, die sich in die verstecktesten Winkel schlängeln. Wo im Sommer die Sonne nie verschwindet, gerade nur den Horizont berührt, bevor sie wieder aufsteigt und ihre Bahn über den Himmel zieht.

Menschen, die spontan ihre Empfindungen zeigen und lebhaft in einem singenden Tonfall sprechen, als könnten sie ihre Freude, dem ewigen Dunkel des Winters entronnen zu sein, nicht bezähmen.

Nordnorwegen, wenn das Thermometer zweiunddreißig Grad zeigt und ich ohne Decke nackt auf dem Bett liege und die ganze Nacht helles Licht durch die Fensterscheiben dringt.

Ich bin in der ganzen Welt herumgereist, und ich weiß, daß ich niemals stärkere Eindrücke empfangen habe als jetzt. Hier sind die Kontraste so ungeheuer groß. Die See ist so unergründlich, wenn ich mich über eine Reling beuge und mir die abenteuerliche Welt da unten im Wasser vorstelle. Und die Berge, die überall um mich herum aufragen, zerklüftet und kahl, sind dem Himmel näher, als ich es mir hatte vorstellen können.

Den Wind und die Sonne auf dem Gesicht zu spüren und zu fühlen, wie der Geruch der Bäume, der Felsen und der Erde über die Haut streicht: auch das gehört zu den Dingen, die mein Leben verwandeln.

ALS ICH ZWEIUNDZWANZIG war, kam der deutsche Regisseur Peter Palitzsch an unser Osloer Theater. Er war Bertolt Brechts engster Mitarbeiter gewesen und viele Jahre lang einer der führenden Regisseure des Berliner Ensembles in Ost-Berlin. Als die Mauer errichtet wurde, war er in Norwegen, wo er den *Kaukasischen Kreidekreis* inszenierte, und er zog es vor, nicht zurückzukehren. Im Osten ließen Freunde und Kollegen eine Anzeige erscheinen: Wir hatten einen Freund; er existiert nicht mehr. Sie gingen in seine Wohnung und verbrannten alle seine Privatbriefe und Bilder.

Wir, die wir ihn damals kannten, betrachteten ihn verstohlen und wunderten uns, wie er es ertragen konnte. Er sprach nie darüber. Sein einziger Besitz waren zwei Koffer und ein paar Ansichtskarten, die er in seinem Hotelzimmer an der Wand befestigt hatte.

Er lehrte mich, daß alles, was wir auf der Bühne darstellen, von zwei Seiten gesehen werden sollte. Sozusagen schwarz und weiß veranschaulicht werden müßte. Wenn ich lächle, muß ich gleichzeitig die Grimasse dahinter sichtbar machen. Muß versuchen, die Gegenbewegung – die Gegenemotion aufzuzeigen.

Ich lernte, bewußter zu arbeiten.

Ich erinnere mich an die Eingangsszene des *Kreidekreises*. Bei der ersten Leseprobe dachte ich, ich sollte eine Frau in einer heroischen Situation darstellen. Es ist Grusche.

Die Revolution ist in ein Dorf gekommen, in dem sie in Armut lebt. Alle Bewohner fliehen vor dem Morden und Brandschatzen, das den Kämpfen folgt. Auch sie. Unterwegs findet sie einen Säugling, der von seiner Mutter verlassen worden ist. Sie bleibt stehen, ohne zu wissen, was sie mit dem kleinen Bündel, das in Samt und Seide gehüllt ist – kostbare Stoffe, die sie nie zuvor berührt hat –, anfangen soll.

Meine Interpretation war, mich zu setzen und das Baby liebevoll und zärtlich zu betrachten. Ihm vorzusingen, es aufzuheben und mitzunehmen.

«Denk ein bißchen tiefer», sagte der Regisseur. «Zeig Grusches Bedenken, sie muß doch welche gehabt haben! Ihre Feigheit: spürst du sie nicht? Und wo bleibt ihre Ambivalenz angesichts dieser neuen Verantwortung? Die Sympathie des Publikums hast du sowieso. Selbst wenn die Zuschauer nicht alles erfassen, was du deutlich zu machen versuchst, werden sie merken, daß du dich so verhältst, wie sie selbst sich vielleicht auch verhalten hätten. Kein spontaner Edelmut. Nicht immer Güte symbolisieren.»

Am Ende sah meine Interpretation so aus:

Die Frau nimmt das Baby auf den Schoß, legt es aber wieder nieder, als sie erkennt, wie hinderlich es ihr bei ihrer Flucht sein wird. Sie steht auf und geht. Verhält den Schritt. Zweifelt. Kommt zurück. Setzt sich zögernd wieder hin. Betrachtet das kleine Bündel. Schaut weg. Schließlich hebt sie es mit einer resignierten Geste auf und läuft weiter. Ohne Freude und ohne große Emotionen beginnt sie ein neues Leben mit dem Kind. Schilt es, weil es Probleme für sie schafft. Lacht über seine Kläglichkeit und Hilflosigkeit. Ihre mütterlichen Gefühle werden nicht sofort geweckt, finden keinerlei romantischen Ausdruck.

Nur, wenn Situationen oder Charaktere nicht eindeutig gut oder böse sind, wird das Spielen wirklich interessant.

Wie alle großen Regisseure, sagte mir auch Peter Palitzsch nie, was ich in jedem einzelnen Augenblick denken oder tun sollte. Er arbeitete mit der Phantasie und Musikalität des Schauspielers. Nur der unbegabte Regisseur versetzt sich in jede Rolle selbst und möchte seine eigenen Gedanken und Gefühle wiedergegeben sehen; nur der unbegabte Regisseur überträgt seine eigenen Grenzen auf den Schauspieler.

Peter arbeitete mit dem norwegischen Ensemble, als wäre er ein Dirigent und wir das Orchester; unsere unterschiedlichen Temperamente waren die Instrumente.

Jahrelang hatte Stanislavskis Buch über die Schauspielkunst auf meinem Nachttisch gelegen; jetzt begann ich, nach anderen Wegen zu suchen.

Ich fand zu einer neuen Technik, die die richtige für mich zu sein schien. Ich legte mehr Gewicht auf Details, etwas, das mir später beim Filmen zugute kam, wo Großaufnahmen die Feinheiten viel deutlicher werden lassen als auf der Bühne.

Weniger Gefühle und mehr Konzentration darauf, den Gefühlen Ausdruck zu geben.

In einem seiner Bücher beschreibt Ingmar Bergman eine Szene aus *Persona*, in der Bibi Andersson einen langen erotischen Monolog spricht und ich ihr zuhöre:

«Schau dir Livs Gesicht an: es schwillt die ganze Zeit über an, es ist faszinierend – die Lippen werden größer, die Augen dunkler, das ganze Mädchen verwandelt sich in eine Art Lüsternheit.

Ein Bild von Liv im Profil ist darunter, das ist makellos. Man sieht richtig, wie sich das Gesicht in eine Art kühle, wollüstige Maske verwandelt ... als wir sie drehten, redete ich mit Liv darüber, daß sie alles Gefühl in den Lippen sammeln sollte. Sie sollte sich darauf konzentrieren, ihre Sensibilität dorthin zu legen – man kann das ja, sein Gefühl in bestimmte Körperteile legen. Man kann plötzlich das Gefühl in einem Zeigefinger sammeln, oder im großen Zeh oder der einen Hinterbacke oder in den Lippen, und genau dazu habe ich sie aufgefordert.» Technik!

Aber es muß auch ein inneres Gleichgewicht zwischen Technik und Intuition geben. Intuition war immer meine Stärke als Schauspielerin. Jetzt lehrte mich Peter Palitzsch, ihr im Kontext den richtigen Platz zu geben. Er mischte sich nie ein, wenn es um meinen Ausdruck ging, aber er testete ständig meine Motivation. Er brachte mir bei, mich selbst zu beobachten, die Rolle mit Hilfe dessen, was ich von dem Charakter, der darzustellenden Person wußte, sich selbst spielen zu lassen.

Grusche sitzt neben dem Baby, dessen Mutter es verlassen hat, und als sie sich herunterbeugt, um es aufzuheben, ist mit einemmal eine Träne in ihrem Auge und läuft ihr über die Wange. Plötzlich ist die Träne da, und es ist ein wunderbares Gefühl. Was ich zu tun versuchte, war, mich allem zu öffnen: Was mit Grusche vorging, sollte durch mich vollzogen werden. Ich war offen für ihre Tränen und ihre Emotionen.

Es ist phantastisch, wenn die Träne kommt, und ich bin überrascht, weil ich nicht gewußt hatte, daß Grusche in diesem Moment weinen würde. Aber ich bin es ja gar nicht mehr, die in einer Emotion gefangen ist, nicht *ich* bin es, die weint.

ICH LEGE den Hörer auf, und ich bin traurig. Linn beobachtet mich und fragt, ob es ein dummes Gespräch war. Ich nicke und verspüre einen jähen, unwiderstehlichen Drang, mich ihr anzuvertrauen.

Und das tue ich auch.

«Du solltest einen Denkspaziergang machen», meint Linn.

«Einen Denkspaziergang?»

Meine Tochter erklärt mir, daß sie sich manchmal etwas Hübsches anzieht – ein Nachthemd von mir, eine Schleife von einem alten Teddybär – und, einen Regenschirm oder einen Luftballon in der Hand, nach draußen geht. Die Blumen und die Bäume anschaut und stehenbleibt, um mit den Leuten zu schwatzen, denen sie begegnet.

«Dann vergißt du, warum du traurig bist. Mach einen Denkspaziergang, Mama.»

Und das tue ich auch.

Es ist Sommer, das Jahr, das ich zu Hause in Oslo verbringe. Ich sitze auf einer Bank vor meinem Haus, esse selbstgebackene Waffeln mit Marmelade und vergesse, daß ich abnehmen will. Es ist so heiß, daß mir der Kopf schwirrt.

In Los Angeles würde niemand verstehen, was für ein herrliches Gefühl es ist, nach einem langen, dunklen Winter genüßlich in der Sonne zu sitzen und Waffeln zu verzehren. Das Leben dort ist so ganz anders als hier.

Ich überlege, ob ich es als real erlebe. Ich sehe durchaus die Falschheit, das Frivole dieses Lebens dort, aber niemand zwingt mich, es ernst zu nehmen. Obwohl ich leicht zu verführen bin. Es ist wie ein Theaterstück, bei dem man die Bühnendekoration und die Beleuchtung und die Kostüme als Mittel benutzt, um Reales auszudrücken. Es steckt immer ein Sinngehalt dahinter. Wie im Leben. Wenn seine Basis in der Form liegt. Wenn seine Basis in mir liegt. Wenn ich meinen Beruf ausübe.

Wenn ich von einer Hängematte im Garten eines Freundes aus auf Los Angeles hinunterschaue und sehe, daß Dunstschwaden die Stadt einhüllen, während ich gleichzeitig fühle, wie gut die Sonne meinem Körper tut. In diesem Augenblick weiß ich, daß ich *lebendig* bin. Das ist auch real.

Ebenso real, wie wenn ich hier sitze und der Schnee geschmolzen ist und Linn unser schwarzweißes Kätzchen im Puppenwagen herumfährt.

Ich denke an meinen plötzlichen Durchbruch als Star in Amerika. Er kam so unerwartet und ist mir noch immer unerklärlich. Ich weiß nicht, ob er mich glücklicher gemacht hat. Ob er mich als Schauspielerin gefährdet oder die Frau in mir bestätigt.

Vor ein paar Monaten war ich in Kalifornien und wurde verwöhnt wie eine Prinzessin aus einem von Linns Märchen – oder wie ich selbst in einem meiner Kindheitsträume. Ich war immer von Freundlichkeit und Hilfsbereitschaft umgeben. Ständig hatte ich Menschen um mich, die mir beistehen, mir irgendeine Bürde abnehmen wollten. Manchmal, weil sie dafür bezahlt wurden, prozentual an mir beteiligt waren oder Geld in meine Zukunft investiert hatten. Aber viel öfter hatte ich das Empfinden, daß ihre Hilfsbereitschaft echter Güte entsprang.

Ich war drei Tage da und wurde dann zum Flughafen gebracht. Endlich war ich allein mit einem Armvoll Rosen und guten Wünschen. Drei Tage lang war ich glücklich gewesen – und doch freute ich mich, wieder heimzufliegen.

Ich traue diesem Leben nicht ganz; es kann mich in die Gefahr bringen, meine Seele gegen Ehren und Ruhm einzutauschen, indem ich Bewunderung suche und mit meinem Charme spekuliere. Ich weiß, daß es heute noch möglich ist, etwas in mein Talent und meine Persönlichkeit zu investieren. Aber was wird geschehen, wenn ich eines Tages zu alt bin? Wenn ich keine begehrte Ware mehr bin? Wenn es still um mich wird?

Die Leere, die sich dann auftut, ist ungeheuer groß für einen Menschen, der einmal den Entschluß gefaßt hat, im Schein des Rampenlichts zu leben und zu sterben. Die Einsamkeit wird unerträglich, weil sie dem anderen Leben so völlig entgegengesetzt ist.

Beverly Hills. Dort gibt es Sonne, frischen Orangensaft, Geld, schöne Häuser, kostspielige Wagen. Einfache, ganz durchschnittliche Menschen beziehen große, von hohen Mauern umgebene Festungen, die sie ihr Heim nennen.

Oft wissen sie nicht einmal, wie ihre Nachbarn aussehen. In den eleganten Villenvierteln schlendert nie jemand durch die Straßen. Ein Sommertag wird nie von spielenden Kindern begrüßt. Es gibt nur Wagen, heruntergelassene Rouleaus zum Schutz gegen die Sonne und neugierige Augen. Gärtner, die vor den Häusern Rasenflächen pflegen, auf denen nie jemand sitzen wird.

Und dennoch gibt es dort so viel Liebenswertes: eine Freundlichkeit und Großzügigkeit, wie ich sie nur an wenigen anderen Orten in der Welt kennengelernt habe. Liebe zum Beruf, lebende Filmgeschichte. Man kann den historischen Gestalten noch heute auf einer Party begegnen. In den Studios und in Gesprächen nimmt man immer wieder die Atmosphäre früherer Zeiten wahr.

Ich habe einige meiner besten und treuesten Freunde gefunden, als ich nach Hollywood kam, um ein Star zu werden.

Ich sitze in einem Garten in der Nähe einer kleinen norwegischen Stadt, die Strommen heißt. Mein Magen ist voll von Waffeln, und während ich vor der sonnenbeschienenen Mauer die Augen schließe, habe ich das Gefühl, daß ich gewissermaßen mit dem Besten zweier Welten beschenkt worden bin.

Es mag sein, daß ich daneben viel Unwirkliches gesehen habe. Aber auch das ist eine Erfahrung.

«WANN FÜHLST DU dich am glücklichsten?» frage ich einen Mann, dem ich sehr zugetan bin. Wir sind im neuen Sommerhaus. Von einem bedrückend grauen Himmel strömt der Regen herab. Ich hatte mir ausgemalt, wie wir, von der Sonne beschienen, nackt herumlaufen und Neues aneinander entdecken würden.

«Wann ich am glücklichsten bin?» Er blickt von seiner Lektüre auf. Er weiß nicht, worauf ich hinauswill. Vielleicht hat er Angst, nicht das zu sagen, was ich erwarte.

«Ich glaube, am glücklichsten fühle ich mich, wenn ich im Schweiße meines Angesichts einen Tag lang schwere physische Arbeit verrichtet habe. Wenn ich meinen ganzen Körper einsetzen mußte, wenn ich mich völlig verausgabt habe, bis meine Glieder schmerzen – und dann endlich aufhöre. Hereinkomme und mich setze. Wenn ich mich in dem angenehmen Bewußtsein ausruhe, daß ich geschafft habe, was ich mir vorgenommen hatte.»

Er fragt nicht, wann ich mich am glücklichsten fühle. Aber am nächsten Tag weiß ich es. Wir haben üppig zu Mittag gegessen. Er lobt meine Kochkünste und greift mehrmals zu. Und wir liegen auf dem Bett und sind uns ganz nahe. Gesättigt von Zärtlichkeit. Es gibt keine Ängste und Fragen mehr zwischen uns. Nur eine stille, sanfte Freude am Körper des anderen, an seinen Händen, seinem Gesicht und dem, was es ausdrückt. Ich bin mit ihm zusammen, auf die einzige Art, die ich wirklich *erlebe*.

Es ist noch nicht dunkel, als ich aufwache. Er ist fort, und ich gehe mit bloßen Füßen ins Wohnzimmer, das noch Wärme und Glück von seiner Gegenwart speichert, und sehe, daß im Kamin ein Feuer brennt. In der Küche finde ich Kaffee, den er für mich auf die Warmhalteplatte gestellt hat, daneben eine Tasse.

Ich habe nicht einen Faden am Leib, als ich in den Garten hinausgehe.

Es regnet noch immer, und die Zehen drücken sich in nasse, wohlriechende Erde. Und dann sehe ich ihn neben der Garage Holz spalten, damit ich genug für den Winter habe. Er hat einen Hackstock zurechtgehauen und eine Axt für das Haus gekauft. Ich weiß nicht, was er denkt, aber er wirkt so glücklich und braun und lebendig. Und plötzlich fällt mir ein, daß dies ja einer der Augenblicke ist, wo er sich am glücklichsten fühlt.

Und ich gehe wieder hinein und spüre, wie *mein* Glück meinen ganzen Körper durchströmt.

EINES TAGES KOMMEN Linn und ich wieder einmal auf die Insel, auf der wir vor langer, langer Zeit viele Jahre gelebt haben.

Linn wird den Sommer bei ihrem Vater und seiner jetzigen Frau verbringen. Ich bin nur für ein paar Tage dabei.

Vor allem, um Ingmar zu treffen, aber auch, um die Insel wiederzusehen; zu spüren, wie sehr ich noch mit ihr verwachsen bin. Um ein paar Menschen zu treffen, die mir nahestanden. Um einen geliebten Hund wiederzusehen.

Linns Vater holt uns vom Flughafen ab.

Es ist ein eigenartiges Gefühl, wieder hier zu sein. Wir fahren durch die vertraute Landschaft. Die Blumen – der Staub am Straßenrand – die Touristenschlange an der Anlegestelle der Fähre – eine etwas stürmische Überfahrt – dann eine kargere Umgebung – immer weniger Autos.

Zuletzt sind wir allein auf einer Waldstraße, die fast niemand kennt.

«Willkommen», sagt er und lächelt.

Linn springt aus dem Wagen, noch ehe wir da sind, um nach Walderdbeeren zu suchen.

Ingrid, seine Frau, steht in der Eingangstür. Sie sieht braungebrannt und glücklich aus – ein Band hält ihr langes Haar zusammen. Sie ähnelt einer anderen Frau, die einmal unter jener Tür auf Gäste wartete. Ein kleiner Knoten im Magen.

Ich merke auch, daß sie mehr Sicherheit besitzt als die andere, ruhiger, gelöster ist. Das tut gut zu wissen. Linn kommt sehr gern hierher, zum Teil auch ihretwegen.

«Du bist im Gästehaus untergebracht», sagt sie. «Wir haben uns so auf deinen Besuch gefreut. Ich habe Champagner gekauft.»

Es ist schwer zu schlucken. Er hat im Wagen das gleiche gesagt – warum trifft es mich tiefer, wenn *sie* es ausspricht? Ich weiß, daß ich nie imstande sein werde, ihr zu sagen, wie dankbar ich bin – nicht nur dafür, daß ich seine Freundschaft spüre, sondern auch dafür, daß sie es mir ermöglicht hat, an einen Ort zurückzukehren, der lange Zeit *mein* Zuhause war.

Nichts ist verändert. Selbst die Möbel stehen am alten Platz. Der Kreis hat sich geschlossen.

Nichts hat ein Ende. Wo man einmal Wurzeln geschlagen hat, die dem besten, wahrsten Selbst entsprangen, dort findet man immer ein Zuhause.

Rückkehr bedeutet nicht, daß man wiederaufsucht, was verlorenging. Ich kann über die vertrauten Pfade wandern, ohne daß der Gedanke an andere Füße, die jetzt diese Wege genießen, Bitterkeit in mir auslöst.

Das Meer ist da – wie immer.

Ich kann mich an den Eßtisch setzen und dieselben Messer und Gabeln und Gläser benutzen, die ich einmal gekauft habe, und bin ein wenig traurig dabei, aber gleichzeitig weiß ich, daß ich noch immer zu diesem Haus gehöre – zu seinen engsten Freunden.

Ich bin gerührt darüber, daß sich so wenig geändert hat; und ich mag sie darum. Sie hat nicht versucht, mich von hier zu vertreiben.

Ingmar ist da.

Menschen, deren Leben sich einmal berührt haben, müssen, auch wenn sie verschiedene Richtungen eingeschlagen haben, eine neue Form der Beziehung finden. In der ihr neues Leben ein Teil ihrer gegenwärtigen Gemeinsamkeit wird.

Niemand kann einen anderen Menschen besitzen. Wenn wir beieinander sind, haben wir uns und die Natur und Zeit.

So einfach ist das.

Wir bringen die Koffer zum Gästehaus. Vom Fenster kann ich auf das Haupthaus hinunterschauen. Ich habe es noch nie aus dieser Perspektive gesehen, und es ist ein etwas sonderbares Gefühl, aber innerlich bin ich ruhig.

Es gibt nichts, was mich noch verletzen könnte.

Zweiter Teil

INSELMENSCHEN

So viel ist über unser Leben auf Fårö geschrieben worden. Leute, die nie dort gewesen sind und uns überhaupt nicht kennen, haben ganze Kapitel darüber verfaßt.

Aber ich bleibe stumm, wenn mich jemand danach fragt. Ich war jung und hatte so viele Vorstellungen vom Leben.

Bilder, die Fragmente unserer gemeinsamen Zeit sind: Spaziergänge am Strand, auf denen wir wie Kinder Münzen im Sand vergruben, damit wir sie Jahre später wiederfinden könnten. Für den Fall, daß wir arm wären oder ein Krieg hereinbräche. Ein paar übereinandergeschichtete Steine zur Erinnerung an einen Sommertag und zwei Menschen, die noch miteinander zu spielen verstanden.

Nächte, in denen wir nebeneinanderlagen und er mir zuflüsterte, ich solle kein Wort sagen, damit er sich in der Stille nach mir sehnen und mich bitten könnte, wieder mit ihm zu sprechen.

Unser grenzenloses Verlangen nach einander, nach dem, was der andere verkörpern sollte. Die Hilflosigkeit, wenn etwas schiefging.

Wir sind zu früh und zu spät in das Leben des anderen getreten.

Ich suchte die absolute Geborgenheit, Schutz. Hatte das ungeheure Bedürfnis, zu jemand zu gehören.

Er suchte die Mutter. Arme, die sich warm und ohne Komplikationen stets für ihn öffnen sollten.

Vielleicht entsprang unsere Liebe der Einsamkeit, die wir beide zuvor gekannt hatten.

Sein Traum war die Frau, die in sich ruhte. Aber *ich* zerfiel, löste mich auf, wenn er nicht achtsam war.

Nachdem wir auseinandergegangen waren, erkannten wir, welche Fehler wir gemacht hatten.

Sein Verlangen nach Zusammensein war unersättlich. Dieses Verlangen wurde eine Lebensnotwendigkeit für mich.

In gewisser Weise entfachte jeder im anderen eine Revolution. Wir öffneten uns einander so ganz und gar. Wir vereinten uns, nicht nur körperlich, nicht nur sexuell, sondern wie Menschen, zwischen denen eine geheime Verbindung besteht.

Nach kurzer Zeit wurde ich mit seiner Eifersucht konfrontiert. Einer heftigen, maßlosen Eifersucht. Ich hatte so etwas nie zuvor erlebt: Jetzt wurden alle Türen geschlossen, verriegelt. Freunde und Familie, selbst Erinnerungen stellten eine Bedrohung unserer Beziehung dar. Erschrokken merkte ich, daß ich fortan nur *ihn* hatte. Und als seine Eifersucht meiner Freiheit Schranken setzte, betrat ich sein Territorium, um dort für ihn die gleichen Schranken aufzurichten. Fühlte mich nur sicher, wenn ich sein Leben kontrollieren konnte.

Wir wünschten uns nichts sehnlicher, als keine Geheimnisse voreinander zu haben. Den Mut, uns aneinander auszuliefern. Doch als wir endlich dahin gelangt waren, lebten wir nicht mehr zusammen.

Unsere zu großen Erwartungen waren unerfüllbar.

Das wurde unsere Hölle. Unser Drama.

In seinem Arbeitszimmer gab es eine Tür, die wir mit Herzen und Kreuzen und Tränen und schwarzen Ringen bedeckten. Symbole dessen, was wir an dem entsprechenden Tag füreinander gewesen waren.

Außerhalb unserer Gemeinschaft existierte nichts. Es gab weder Freude noch Schmerz, die nicht vom anderen verursacht worden wären.

Allmählich bereitete das den Boden für unsere Trennung.

Wir glichen uns so sehr. Was er von sich bisher nicht gewußt hatte, begann er nun bei mir zu sehen – wie in einem Spiegel –, obwohl ich eine Frau war und viel jünger und in manchem, was er nicht kannte, ganz anders als er. Er fand seine eigene Verletzlichkeit und sein heftiges Temperament in mir wieder, und diese Beobachtungen setzten bei ihm einen Heilungsprozeß in Gang. Doch wie ein Spiegel war ich immer da – eine lebendige Mahnung.

Ich wollte ihm gehören, und wenn er von mir verlangt hätte, daß ich mich ändern sollte, wäre ich zu allem bereit gewesen. Vielleicht kann man sich gemeinsam ändern – gemeinsam weiterentwickeln. Aber wenn der Spiegel zu klar ist, sieht man sich nicht nur, wie man wirklich *ist*, sondern man wird gezwungen, den anderen Menschen zu verlassen, der einem ständig Mahnung dafür ist, was man nicht mehr sein möchte.

DER ERSTE SOMMER war eine ungetrübt glückliche Zeit.

Wir drehten *Persona* auf der Insel.

Es war heiß. Ich erlebte einen anderen Menschen. Er erlebte mich. Und wir verloren nicht viel Worte darüber. Ich ging barfuß über so feinen Sand, daß ich das Gefühl hatte, er atme unter meinen Füßen.

Tagsüber lag ich in den Drehpausen meist auf der Erde und las. Mein Kopf war wie betäubt.

Ich dachte nie darüber nach, was aus unserer Beziehung werden würde. Es war, als umgäben mich weiche Wände aus Sonne und Verlangen und Glück.

Kein Sommer sollte jemals wieder so wie dieser werden. Nicht wie dieser. Wir wanderten den Strand entlang und sagten nichts, forderten nichts, fürchteten uns nicht.

Einmal entfernten wir uns weit von den anderen, entdeckten eine kleine Anhöhe aus grauem Gestein mit einem Streifen Ödland dahinter. Wir saßen da und schauten auf das Meer hinaus, das an diesem Tag einmal spiegelglatt in der Sonne lag.

Er nahm meine Hand und sagte: «Gestern nacht hatte ich einen Traum. Daß du und ich auf eine schmerzliche Weise miteinander verbunden sind.»

An der Stelle, wo wir gesessen hatten, baute er sein Haus.

Und das änderte sein Leben. Und meines.

Als ich die Insel wiedersah, war es Winter. Er brachte mich in einem kleinen Privatflugzeug hinüber. Was unser Zuhause werden sollte, war bereits in Bau. Gemeinsam wollten wir es uns zum erstenmal anschauen.

Die Wiederbegegnung mit dem Sommerparadies war

ein Schock. Ich sah eine völlig neue Landschaft. Die Kälte durchdrang den ganzen Körper. Man konnte sich nicht dagegen schützen.

Ich hatte eine Scheidung hinter mir, die schmerzte; einen Menschen verlassen, dem ich zugetan war.

Ingmar und ich hatten eine Tochter bekommen.

Alles war anders.

Das Haus lag weit ab von dem sandigen Sommerstrand; das Grundstück bestand nur aus Stein und vertrockneter Erde. Niemand auf der Insel konnte den Mann verstehen, der so viel unfruchtbares Land gekauft hatte.

Wir betraten unter dem dünnen Gerüst den Rohbau unseres Hauses.

Irgend jemand hatte Champagner bereitgestellt, und ich zerschlug die Flasche, und wir hielten Reden und tauften das Haus.

Dann machten wir einen Spaziergang am Strand, wo es nur Steine gab, und fotografierten einander. Ich sehe auf all diesen Bildern glücklich aus, aber ich weiß, daß ich damals dachte: «Es ist ein Traum – der Traum eines anderen, an dem ich nur teilhabe.»

Mein ganzes vorheriges Leben schien unwirklich und weit von mir entfernt.

Aber auch dieses hier war mir fremd. Ich fragte mich, was aus mir werden würde.

BIBI ANDERSSON und ich spielten die Hauptrollen in *Persona*. Bibi verkörperte eine Frau, die den ganzen Film hindurch redet und schreit und tobt.

Meine einzige Zeile Text war: «Nichts.»

Zum erstenmal war ich einem Regisseur begegnet, der mich Gefühle und Gedanken ausdrücken ließ, die vorher kein anderer in mir erkannt hatte. Einem Regisseur, der, den Zeigefinger an die Schläfe gelegt, geduldig zuhörte und alles verstand, was ich auszudrücken versuchte. Einem Genie, das eine Atmosphäre schuf, in der alles geschehen konnte – auch das, was ich mir selbst gar nicht zugetraut hätte.

Der Film entstand zum größten Teil auf Fårö. Wir logierten in einem kleinen Haus – die Maskenbildnerin, das Skriptgirl, Bibi und ich. Unsere Wirtin verwöhnte uns. Jeden Morgen gab es mehrere warme Gerichte zum Frühstück, bis Bibi und ich protestieren mußten, weil wir allmählich dick und rund wurden und die Dreharbeiten in Stockholm mit zwei schlanken Mädchen begonnen hatten.

Wir verbrachten die Tage damit, unter großen schützenden Hüten in der Sonne zu sitzen und unsere Rollen zu studieren – gelöst und glücklich, wie man uns in dem Film nie zu sehen bekommt. Nur einmal werden – unmittelbar der Realität entnommen – zwei Frauen gezeigt, die Pilze säubern, wobei jede eine andere Melodie summt. Es sind Alma und Elisabeth Vogler aus *Persona*; aber es sind auch Bibi und Liv im Jahre 1965.

Wir waren beide jungverheiratet, als wir uns auf einer Insel vor der Nordküste Norwegens zum erstenmal begegneten. Die Sandrewfilm verfilmte Knut Hamsuns *Pan* und wollte aus jedem der benachbarten Länder eine bekannte Schauspielerin in den Hauptrollen haben. Bibis Rolle war viel umfangreicher als meine, sie hatte auch größere Filmerfahrung. Wir waren in einem Klassenzimmer der Schule untergebracht worden, die während des Sommers geschlossen war. Wir schoben alle Tische und Stühle an die Tafel und stellten unsere Betten in einer Ecke auf. Dort lagen wir, eine weite kahle Bodenfläche und die übereinandergetürmten Möbel zwischen uns und der Tür. Im Licht der Mitternachtssonne unterhielten wir uns bis zum anderen Morgen. Wir hatten uns so viel zu erzählen, und schlafen konnten wir ja auch noch später im Leben.

Wir redeten über die Zukunft, über unsere Ehen, unsere Kindheit und Jugend, und versprachen einander, Taufpatinnen zu werden, wenn die andere ein Kind bekäme.

Ich bewunderte ihre Großzügigkeit und Ehrlichkeit.

Zwischen uns entstand eine Freundschaft, wie sie mich noch mit keiner anderen Frau verbunden hatte, und sie ist mir auch bis heute erhalten geblieben.

Eines Tages bekam sie ein Telegramm von Ingmar Bergman. Ich schaute sie erstaunt an, weil sie so gelassen war. Sie faltete es zusammen und wollte es in ihre Handtasche stecken. Ich fragte sie, ob ich es haben dürfte.

Und jetzt drehten wir drei auf Fårö *Persona*.

Bibi sah voraus, was geschehen würde, aber ihre ernsten Worte waren völlig vergebens. Mein Blick kam aus weit entfernten, seligen Gefilden, in denen ich weilte – die erste Frau, die liebte und geliebt wurde.

Abends machten wir Strandspaziergänge. Bibi, Sven Nykvist, der Kameramann, Ingmar und ich. Trotz ihrer

Warnungen besaß Bibi so viel freundschaftliche Loyalität, daß sie Sven ständig mit dem unvermittelten Zuruf: «Mal sehen, wer von uns beiden schneller zu Hause ist!» zu Wettläufen anstachelte. Abend für Abend mußte Sven, ein wenig verwundert über Bibis so jäh hervorbrechende ungeheure Energie, den Strand entlangrennen.

Während Ingmar und ich langsam nachfolgten.

Jede Nacht, wenn ich nach Hause kam, sah ich mich einer großen schwarzen Katze gegenüber, die neben der Tür saß und mich boshaft beäugte.

Und dann schlich ich auf Zehenspitzen zu Bibi hinein, setzte mich auf ihr Bett und sprach leise all das aus, was ich ihm nicht hatte sagen können.

DIE INSEL LIEGT zwischen Rußland und Schweden.

Ich erinnere mich nicht, je einen so öden Flecken Erde gesehen zu haben. Wie ein Relikt aus der Steinzeit. Aber im Licht des Sommers ist sie ergreifend und eher geheimnisvoll.

Nachts konnten wir von unserem Schlafzimmer aus das Meer sehen. Und wir stellten uns vor, selbst auf einer Reise zu sein. Weit draußen Lichter von Schiffen, die wir als mysteriöse Botschaften für Fremde an unserem Strand ansahen. Wir taten so, als wären wir in ständiger Gefahr – weil das Haus so einsam lag und wir nur uns hatten.

Als Mädchen hatte ich von einer ganz anderen Insel geträumt. Auf ihr gab es Palmen, Früchte, Wärme. Und in der Nacht bewachten die Tiere des Waldes meinen Schlaf. Mit dieser Insel verband ich keine Einsamkeit, nichts Unheimliches.

Auf seiner Insel gab es knorrige Fichten von eigenartigem Grün – die meisten verkrüppelt und zu Boden geneigt. Nur die kräftigsten hielten sich aufrecht. Und wenn die Dämmerung kam, sahen sie in ihrem hoffnungslosen Zum-Himmel-Streben wie schlanke Tänzerinnen aus, die nicht mehr auf ihren Zehenspitzen stehen konnten.

Die schönste aller Fichten wuchs vor unserem Wohnzimmerfenster, und er sagte, sie gehöre mir. Nachdem ich die Insel verlassen hatte, fällte sie im Winter ein Sturm. Das machte mich glücklich. So konnte er sie mit niemand anders teilen.

Der Boden war graubraun – trockenes Moos bedeckte weite Flächen. Jeden Sommer überzog sich die Insel einen Monat lang mit den wunderbarsten Farben. Dann erinnerte ich mich an die blumenübersäten Wiesen meiner

Kindheit. Und wenn wir Walderdbeeren zusammen pflückten, waren wir glücklich. Doch wenn die Tage kürzer wurden und die Farben gedämpfter und monotoner, verwandelte sich die Insel in ein Gefängnis, in dem ich nicht wußte, wohin ich mit meiner Einsamkeit und Unsicherheit gehen sollte. Ich war ständig beunruhigt und sehnte mich danach, anderswo zu sein. Aber ich sagte es niemandem.

Gleichzeitig wußte ich, daß ich dem Leben nie zuvor näher gewesen war.

Die flüchtigen Glücksmomente prägten mich mehr als alles andere, was ich je erfahren hatte. Und was schmerzlich und schwer zu verstehen war, bereitete den Weg für den inneren Wandel, den ich unbewußt herbeiwünschte.

Um die Insel herum zog sich ein Gürtel aus Steinen. Meilen vom Meer bespülte Steine. Nur an einer Stelle machten sie einem Sandstrand Platz, der im Sommer Tausende von Touristen anlockte.

Wenn sie kamen, nahm unsere Isolation zu. Wir konnten den Tag kaum erwarten, an dem die Fähren wieder leer über den Sund fahren würden und wir nicht mehr zu der Backsteinmauer, die er um das Haus hatte bauen lassen, hochschauen müßten, um zu sehen, ob etwa jemand mit einer Kamera dort stünde und uns zu Fremden in unserem eigenen Garten machte.

Ich wußte, daß Ingmar seine Insel gefunden hatte, und ich versuchte, sie genauso zu lieben wie er.

Nachts, wenn er nicht schlafen konnte, lag ich stumm neben ihm, voll Angst vor seinen Gedanken. Vielleicht dachte er, daß ich nicht zu der Insel gehörte, daß ich die Harmonie störte, die er – umgeben von der Natur und der

Stille, die ihm so viel bedeuteten – in sich selbst zu schaffen versuchte.

Ich fand meine Sicherheit darin, so zu leben, wie er es wollte. Denn nur dann fühlte *er* sich sicher.

ICH HATTE EINE HÜNDIN, die Pet hieß.

In ihrem ersten Zuhause, mit Jappe, war sie gutmütig und anschmiegsam. Mit Vorliebe lag sie auf seinem Schoß, und wäre sie eine Katze gewesen, hätte sie geschnurrt.

Wenn mein Mann aus dem Krankenhaus kam, erkannte sie das Geräusch seines Wagens von ihrem Platz auf dem Sofa aus, obwohl unsere Wohnung im vierten Stock lag. Ein kleiner, spitz zulaufender Kopf schaute aufgeregt aus dem Fenster, und ihr lautes, freudiges Bellen war im Umkreis von einem Kilometer zu hören. Dann folgte eine überschwengliche, zärtliche Begrüßungsszene.

Wenn wir aßen, lag sie ihrem Herrn zu Füßen und sah anbetend zu ihm auf.

Dann trat Ingmar in ihr Leben, und auf beiden Seiten war das Mißtrauen groß. Er versuchte, meine Freunde dazu zu bewegen, ihm zu helfen, Pet loszuwerden. Er bat sie, die Hündin auf eine verkehrsreiche Straße zu bringen, sie von einem Tierarzt einschläfern zu lassen, sie am anderen Ende der Stadt auszusetzen. Aber keiner fand sich dazu bereit.

Er und sie jagten in meiner Wohnung wild hintereinander her. Er trat mit dem Fuß nach ihr – sie biß. Ich durfte sie nie mehr streicheln oder ihr auf andere Weise meine Aufmerksamkeit schenken, wenn *er* da war, und *sie* knurrte, wenn Ingmar meine Hand nahm.

Als ich nach Fårö übersiedelte, kam Pet mit und war ein äußerst unerwünschter Gast.

Sie erhielt eine kleine Nische vor der Küche zum Schlafen zugewiesen. Ins Wohnzimmer durfte sie nicht hinein. Es gab für uns nur noch heimliche Liebkosungen, wenn *er* am Strand oder in seinem Arbeitszimmer war.

Doch sie war schlau und begriff sehr bald, daß es das beste war, der Person, die offenkundig über ihr Geschick zu bestimmen hatte, Liebe zu bezeugen.

Und ganz allmählich robbte sie sich ins Wohnzimmer vor. Meter für Meter, bis sie eines Tages einen Vorzugsplatz an dem großen, offenen Kamin erobert hatte.

Nie habe ich bei einem Hund einen so verständnisvollen Ausdruck gesehen wie bei ihr, wenn Ingmar mir aus einem Drehbuch vorlas. Sie schaute verträumt in die Luft, wenn seine Lieblingsplatten gespielt wurden. Ihr ganzer Körper zitterte vor Verlangen, wenn er seinen Mantel anzog, um nach draußen zu gehen, und sie machte vor Freude wilde Sätze, wenn sie schließlich mitdurfte, sprang bellend hin und her, um ihm zu demonstrieren, wie wichtig es sei, einen Wachhund dabeizuhaben, wenn man den Strand entlangwanderte.

«Pet ist eine Emotion auf vier Beinen», sagte Ingmar.

Als ich das Haus fünf Jahre später verließ, standen die beiden nebeneinander unter der Tür. Pet schnüffelte auf dem Boden herum – vielleicht schämte sie sich ihres Treubruchs ein wenig.

Jetzt ist Pet fünfzehn Jahre alt, und ich habe gehört, daß sie auf seinem Schreibtisch liegt, während er arbeitet. Es würde mich nicht wundern, wenn sie in ihrem eitlen Hirn davon träumte, in einem seiner Filme Unsterblichkeit zu erlangen.

ICH SUCHTE etwas auf einer Insel.

Hier waren die Menschen der Erde nahe und dem Meer und allem, was natürlich und uns vorbestimmt ist.

Das hervorstechendste Merkmal der Leute, denen ich begegnete, wenn die Touristen am Ende des Sommers verschwanden, war ihre Einfachheit.

Ich hatte den Eindruck, daß keiner von diesen Männern und Frauen je erniedrigt werden konnte. Sie lebten in Harmonie mit sich selbst, mit allem, was gut und böse in ihnen war. Kein Außenseiter konnte auf sie zeigen und ihnen das Gefühl der Minderwertigkeit geben.

Menschen, die Vertrauen zu ihrem Platz auf Erden hatten. Sie waren durchaus nicht unkompliziert oder ohne Begehren, Haß und Aggressionen. Aber sie hatten Stolz, eine Würde, die niemand brechen könnte. Sie hatten Wurzeln, die ihr ganzes Leben lang in demselben Fleck Erde verankert waren.

Bei vielen alten Leuten findet man das. Sie haben allen Prätentionen und trügerischen Träumen entsagt, das hektische Treiben aufgegeben.

Auch sie sind Inselmenschen in unserer Gesellschaft. Wie die Kinder.

Menschen, die es nicht bekümmert, ob die Maske, die Fassade intakt ist. Die es wagen, offen zu zeigen, wer sie sind.

Inselmenschen.

Menschen, die ihre Gedanken leben. Auch wenn diese Gedanken vielleicht gar nicht bemerkenswert sind.

Manche von ihnen strahlen ein Gefühl der Sicherheit aus, einer ganz einfachen Sicherheit, die vielleicht die Würde des Herzens ist.

Siri hatte ihr ganzes Leben auf der Insel verbracht. Nur einmal war sie in Stockholm gewesen, und die Angst, die die Stadt in ihr ausgelöst hatte, steckt noch immer in ihr.

Ihr Hinterteil war behäbig und breit – als hätte sie am Ende ihrer Arbeitstage lange dagesessen. Sinnend und grübelnd.

Als junges Mädchen war ihr die Verantwortung für ihre verwaisten Geschwister aufgeladen worden. Erst als alle aus dem Haus waren, hatte sie Zeit, über sich selbst nachzudenken und zu überlegen, was sie mit ihrem Leben anfangen wollte.

Eine Ausbildung kam nicht in Frage. So jung war sie auch nicht mehr. Und zudem war sie eine Frau.

Sie blieb auf der Insel und nahm alle möglichen Arbeiten an, zu denen eine Frau gebraucht wurde. Daneben bewirtschaftete sie den kleinen elterlichen Hof, den sie hatte halten können.

Sie brachte ein Kind zur Welt und versorgte es allein. Einige Jahre später zog ein Mann zu ihr. Eine stille, zärtliche Freundschaft band sie aneinander.

Sie war schön. Ein großflächiges, offenes Gesicht mit tiefliegenden, schwermütigen Augen. Frauliche, mütterliche Brüste und Hüften.

Als *wir* auf die Insel kamen, kam *sie* zu uns.

Jeden Tag fuhr sie mit ihrem alten Fahrrad durch die Wälder. Auch als Ingmar ihr einen Motorroller schenkte, fühlte sie sich auf dem wackligen Gefährt ihrer Jugend noch immer am wohlsten. Sie wunderte sich über das Leben, das wir führten, brachte aber zugleich für alles Verständis auf und war liebevoll um uns besorgt. Wenn wir am Eßtisch saßen und sie unsere Nervosität und den lastenden

Druck unausgesprochener Worte spürte, dann beugte sie sich über ihren Teller und konnte nicht begreifen, warum zwei Menschen, die sich so liebten, einander weh taten. Manchmal blieb sie in der Küche und weinte, weil sie sich so vollkommen mit unserer Situation identifiziert hatte.

Waren wir glücklich, so war sie noch glücklicher als wir.

Sie zwinkerte und lächelte mir zu und verlor fast ihre Furcht vor der Dunkelheit, wenn sie abends auf dem Fahrrad nach Hause fuhr.

Wir verstanden uns – wie es Frauen können, wenn sie vertraut miteinander sind.

Sie gab mir Einblick in vieles, was vorher nicht zu meiner Welt gehört hatte: was ein Arbeitstag ist, wenn man Schafe und Hühner und Gänse und ein wenig Land besaß und dazu noch in einem Haushalt arbeitete und ab und zu als Verkäuferin im Kolonialwarenladen einsprang. Von mir erfuhr sie etwas von anderen Ländern, von Reisen – von dem Leben außerhalb der Insel. Wir saßen Hand in Hand oder den Arm umeinander gelegt da. Waren glücklich über die Erfahrungen, die wir austauschen konnten, weinten manchmal, weil die andere plötzlich etwas verstand, womit man zuvor allein gewesen war.

Wir gingen zusammen zu den Inselfesten. Zuerst nahmen wir uns unsere Kleider vor und halfen einander, das schönste für den Abend auszusuchen.

Die Männer saßen meist in einer Ecke und unterhielten sich, während die Frauen tanzten, wie es auf dem Land oft Brauch ist. Ich tanzte mit Siri, und ich tanzte mit Rosa, die eine vierzig, die andere sechzig Jahre alt. Siri in ihrem Seidenkleid, das den wohlgerundeten, kräftigen Körper eng umspannte, strahlte vor Glück.

Man durchbrach die tägliche Routine für ein paar Stunden. Und wenn ich heute daran denke, verzieht sich mein Mund zu dem gleichen Lächeln wie an jenem Abend.

Sie las nicht viel, schaute nicht dieselben Fernsehprogramme an wie ich, aber sie war in vielem enger mit der Realität verbunden als ich.

Sie war immer anderen gegenüber verantwortlich und verpflichtet gewesen, ihr materieller Lohn gering. Sie war stolz und würdevoll. In einem Raum eingesperrt, würde ich lieber hundert Tage mit ihr verbringen als mit manchen für ihren Witz und ihren Intellekt berühmten Leuten, die ich kenne.

Ich vermisse Siri – jetzt, da ich sie nie mehr sehe.

DIE SCHAFE auf der Insel bleiben das ganze Jahr im Freien. Wie die Landschaft, die sie umgibt, sehen auch sie aus, als wären sie Relikte aus einer anderen Zeit. Sonderbar geformte Köpfe, große, umfangreiche Körper, von denen die Wolle bis auf die Erde herabhängt.

Wenn sie im März Junge werfen, zeigt das Thermometer manchmal fünfzehn Grad unter Null.

Eines Tages standen wir hilflos dabei und beobachteten den Vorgang. Der Wind peitschte unsere Gesichter. Es war dunkel und stürmisch. Ein Lamm hing aus dem Körper der Mutter, die den Kopf gegen den Wind gesenkt hielt und wartete. Das Leben war für das Kleine von kurzer Dauer. Es war gerade geboren, die Zunge der Mutter hatte es kaum berührt, als das zweite kam. Und wieder einmal erwies sich, daß die Stärkeren überleben. Die Mutter begann sofort das zuletzt geborene Junge zu lecken, das wesentlich größer war. Das kleine blieb auf dem Boden liegen, bis Blut und Schleim allmählich auf seinem Körper zu Eis erstarrten.

Wir machten einen linkischen Versuch zu helfen, verscheuchten damit aber nur die Mutter und mußten es aufgeben. Vorsichtig kam sie zurück zu ihrem größeren Jungen und leckte es ab, bis es trocken war und sich auf seine dünnen, wackligen Beine stellte, um die Welt zu erproben.

An jenem Abend sammelte der Bauer drei tote Lämmer ein, die die Herde liegen gelassen hatte, als sie ihren langsamen Zug durch den immergrünen Wald fortsetzte.

EIN KLEINES KIND wuchs bei uns auf der Insel heran.

In der Nacht nach Linns Geburt stand ich im Korridor des Krankenhauses. Durch eine Glasscheibe konnte ich all die kleinen, schreienden Neugeborenen sehen, und irgendwo unter ihnen schlief mein eigenes. Ich stand stundenlang da, von Glück erfüllt, bis mich eine Nachtschwester ins Bett schickte.

Wie kann ich das ungeheure Gefühl der Geborgenheit erklären, das ich hatte, seit ich wußte, daß sie nun mit mir auf dieser Welt war? Bald würde ihr Bett neben meinem stehen. Wir würden Hand in Hand einschlafen. Wir würden Musik hören und schöne Bilder zusammen betrachten. Wir würden über die Dinge des Lebens reden und in langen vertraulichen Gesprächen auf alles Antwort finden. Linn und ich würden einander helfen, echte Menschen zu sein. Schon damals hatte ich das Gefühl, daß wir nur zu zweit sein würden. Daß Linns Vater sein eigenes Leben leben mußte – in unserer Nähe, aber nie mit uns. Ich lag in meinem Bett und betastete den Ring, den er mir geschenkt hatte, knipste das Licht an, um ihn zu bewundern. Las den Brief, den er seiner Tochter und mir geschrieben hatte. Keine Gefahr der Welt konnte mich in dieser ersten Nacht erreichen.

Träume werden selten Wirklichkeit.

Ich sollte einem Kind Sicherheit und Zärtlichkeit geben, hatte aber das Gefühl, daß ich selbst etwas ähnliches nicht bekam. In der Einsamkeit der Insel war ich oft eine nervöse und reizbare Mutter. Mein Leben mit dem Kind wurde durch die Situation beeinflußt, in der ich mich befand. Und es war nicht immer die beste. Meine Enttäuschungen wirkten sich manchmal auf Linn aus. Es gab Tage voller Schuldgefühl, in denen ich zum Fußabstreifer für beide wurde. Für ihn, der in seinem Arbeitszimmer saß und mich für sich allein haben wollte. Und für sie, die kaum laufen konnte und aus dem anderen Ende des Hauses weinend nach mir verlangte. Ich rannte von einem zum anderen, immer mit einem schlechten Gewissen. Nie fähig, das, was ich selbst so gern bekommen hätte, ganz zu geben.

Aus dieser Zeit gibt es viele Fotos von Linn. Sie ist pausbackig und glücklich, ihre Augen schauen, als ob sie bereits alles, was um sie vorgeht, abschätzten. Lustige Augen.

Ich weiß, ich kann das Unrecht, das ich ihr zugefügt habe, nie wiedergutmachen. All die Entscheidungen, die nicht zu ihrem Vorteil ausfielen. All die Male, die ich sie der Obhut anderer überließ.

Ich wüßte gern, was sie dachte, wonach sie sich sehnte.

Ich möchte sie heute auf den Schoß nehmen und ihr sagen, wie sehr ich sie auch damals liebte und wie sehr ich die Wärme und den Geruch und das absolute Vertrauen jener Zeit vermisse.

Der Zeit, in der ich ihre ganze Welt war und mich von der meinen absorbieren ließ. Als sie in einem Teil des Hauses schlief und wir im anderen. Und ich dalag und lauschte, weil sie so weit weg war, daß ich Angst hatte, sie nicht zu hören, wenn sie aufwachte.

Das blaue Kinderbett. Das Foto von Ingmar als Junge darüber.

Augenblicke der Zusammengehörigkeit, wenn wir durch die Wälder streiften und Erdbeeren pflückten. Und als es eines Nachts einmal so schrecklich donnerte und wir alle drei eng aneinandergeschmiegt im Bett lagen und lachten.

Mein Glücksgefühl, wenn die beiden sich in sein Arbeitszimmer einschlossen und Geheimnisse hatten. Sommertage, an denen wir vor dem Haus saßen und schweigend das Meer betrachteten und die Vögel und die Steine.

Sie verbrachte ihre ersten Lebensjahre dort mit uns. Und das meiste davon hat sie bereits vergessen.

Was für Erinnerungen und Erfahrungen es wohl sind, die tief in ihr begraben liegen und ihr im späteren Leben ihren Stempel aufdrücken werden? Ihr Ängste und Unsicherheit bringen werden, die sie nie verstehen wird? Sehnsüchte, die nie Erfüllung finden. Weil sie zu einer frühen Kindheit gehören und nur damals Wirklichkeit hätten werden können.

ICH BESITZE ein Schulfoto von Ingmar. Er seht in der Mitte einer Reihe dreizehnjähriger Jungen. Ich kann sehen, daß er eine picklige Haut hat, kann seine Einsamkeit und Scheu erkennen, und ich glaube sogar, daß ich sein Gefühl, ein Außenseiter zu sein, spüre.

Einmal wurden wir von einem reichen Produzenten in Rom zum Abendessen eingeladen. Wir sollten die einzigen Gäste sein, doch nach einer halben Stunde war die große Wohnung unseres Gastgebers voller Leute, die ihrerseits eingeladen worden waren, um Ingmar einmal persönlich kennenzulernen. Damals bekam er denselben Gesichtsausdruck wie auf jenem Foto. Er war blaß, als er dem Produzenten sagte, er müsse sofort gehen. Die anderen setzten sich ohne den Ehrengast zu Tisch.

Jeden Nachmittag fuhren Linn und er und ich mit der Fårö-Fähre über den Sund, um die Zeitungen abzuholen. Oft kauften wir auf dem Heimweg Eis. Selbst im Winter, wenn es stürmte und die Leute Wollschale trugen und rote Nasen hatten, saßen wir im Wagen und aßen Eis.

Einmal kaufte ich zu Weihnachten geräucherten Pökelschinken, in der Meinung, er sei frisch, steckte ihn für eine Stunde in den Backofen und trug eine ungenießbare Katastrophe auf. Später versuchte ich ein paar Kerzen auf der Veranda anzuzünden. Der Wind blies die flackernden Lichter aus, und Ingmar klopfte zornig ans Fenster, weil ich versehentlich Begräbniskerzen statt Partykerzen gekauft hatte.

Wir filmten auf Fårö. Er war schon seit dem Frühjahr verärgert mit mir gewesen. Ich stand vor einem brennenden Haus.

«Näher», schrie er, während er in die Kamera spähte.

154

Funken flogen mir um die Ohren. «Näher!» Die Hitze schlug mir so sengend ins Gesicht, daß ich die Augen schließen mußte. Ich war voller Haß.

«Näher!» Ich war dabei, in das Inferno hineinzugehen, als er rief: «Das reicht!»

Aber auf der Leinwand macht sich das Ganze gut.

In Rom hatte ich einen großen Wunsch: in eine Bar zu gehen und an der Theke frischen Orangensaft zu trinken. Ich überredete ihn, mit mir hineinzugehen. Mit wütender Miene stand er neben der Tür. Leute drängten herein, stießen ihn an – der Raum war sehr eng. Er mußte warten, weil ich in einer Schlange stand. Der Saft schmeckte nicht so gut, wie ich es mir vorgestellt hatte, und als wir wieder draußen waren, sagte er zu mir, daß er sich nie wieder in so ein Abenteuer hineinziehen lassen würde.

Fünf Wochen lang aßen wir im selben Restaurant.

Jeden Tag gingen wir in die Peterskirche. Wir schlenderten gern in dem wunderbaren Licht und dem Dämmer, den Farben, den Schatten und der Kühle umher. Wir setzten uns auf eine Bank und versprachen einander, in einem anderen Jahr an diese Stelle zurückzukehren.

Ich kam zurück – aber es war Linn, die mich begleitete.

«Hier saßen Papa und ich einmal, als du noch ein kleines Baby warst», erzählte ich ihr wehmütig.

«Seither haben schon viele Popos hier gesessen», gab Linn trocken zurück.

Die Gärten am Forum Romanum. Nie zuvor hatten wir so einen Frühling gesehen. Sprachlos vor Entzücken betrachteten wir die Orangenbäume und die Palmen, wanderten im Schatten einer Sonne herum, die wärmer war als unsere im Sommer.

Niemand konnte so zornig sein wie Ingmar. Allenfalls vielleicht ich.

Einmal hatte ich so viel Angst vor ihm, daß ich mich im Badezimmer einschloß. Er stand draußen und polterte und trat gegen die Tür, um hereinzukommen. Plötzlich sah ich zu meinem Entsetzen seinen Fuß wie eine Kanonenkugel durch das Holz bersten, und zwar mit solcher Gewalt, daß sein Hausschuh in die Toilette geschleudert wurde.

Es fiel uns leicht, uns wieder zu versöhnen, wenn wir uns von außen betrachten konnten.

Wie zum Beispiel bei einer anderen Gelegenheit, als er mich in einem Wutanfall durch das Hotelzimmer stieß und mir mit einem Schlag meinen neuen Hut übers Gesicht stülpte, wo er hängenblieb und jeglichen Protest meinerseits für eine Weile wirksam verhinderte.

Wir langweilten uns selten miteinander. Ich erinnere mich nur an einen Spaziergang durch den Zoo. Wir betrachteten die Tiere und schlenderten weiter und weiter und betrachteten die Tiere und fanden nichts, worüber wir hätten reden können. Es war sonnig und heiß. Anschließend tranken wir Kakao in einem Restaurant. Wir waren beide froh, als wir nach Hause kamen und uns hinsetzen und die Abendzeitungen lesen konnten.

Oder in Kopenhagen. Wir hatten uns so lange darauf gefreut, einmal miteinander allein zu sein. Mehrere Tage mieden wir jeden Kontakt mit der Welt, und eines Nachmittags standen wir in unserem Hotel am Fenster und schauten hinaus. Eine Leere breitete sich zwischen uns aus, wortlos und völlig unerwartet.

Wir legten uns schlafen. Nur unsere geneigten Köpfe berührten sich. Wie bei Pferden.

Als wir unsere erste gemeinsame Reise machten, schickte er mich mit dem gesamten Gepäck voraus, damit ich auspacken und das Hotelzimmer bis zu seiner Ankunft wohnlich herrichten könnte. Nach ein paar Tagen explodierte der wilde Protest, der sich in mir aufgestaut hatte, und mitten in der Nacht erklärte ich plötzlich, wir hätten das Ende unserer Beziehung erreicht, und er könne ebensogut aufstehen und sich ein anderes Zimmer geben lassen. Übertrieben langsam zog er sich an. Minutenlang stand er vor dem Spiegel und kämmte sein dünnes Haar. Auch in diesem Augenblick sah er wie der Junge auf dem Schulfoto aus.

Als er Fellini kennenlernte, waren sie sofort ein Herz und eine Seele. Sie umarmten sich und lachten, als hätten sie ihr ganzes Leben zusammen verbracht. Sie schlenderten nachts durch die Straßen, die Arme umeinander gelegt. Fellini in ein dramatisches schwarzes Cape gehüllt, Ingmar in einem alten Wintermantel und seiner kleinen Mütze.

Ein Abendessen bei Fellinis. Ingmar saß mit der Frau des Gastgebers, Giulietta Masina, in einer Ecke, und sie verlor ihre Scheu und begann zu singen. Ihre Stimme war hoch und klar wie die eines Kindes.

«Ich kann das Zimmer nicht einen Augenblick verlassen, ohne daß meine Frau sich lächerlich macht», sagte Fellini in der Tür. Sie stand hastig auf. Entgegnete nichts. Durch das Verandafenster konnte ich sie im Garten herumwandern und Blüten von den Bäumen pflücken sehen. Später kam sie wieder herein und gab jedem von uns eine Blüte. Sie lächelte unaufhörlich.

Aber sie bewegte sich nur auf Zehenspitzen – um auch ja niemandem aufzufallen.

Ingmar und ich hatten vereinbart, daß ich auf seiner Beerdigung in einem langen schwarzen Kleid erscheinen sollte. Ich hätte Rot vorgezogen. Und falls er mit jemand anderem verheiratet sein sollte, so würde ich erst, wenn schon alle in der Kirche versammelt sind, kommen und mich ganz hinten auf eine Bank setzen, während der Gedenkrede ohnmächtig zusammensinken und während des Schlußgebets hinausgetragen werden.

Ein Jahr nach unserer Trennung saß ich auf den Stufen der Peterskirche. Die Sonne schien, und ich war ein wenig verliebt. Und mit einemmal fühlte ich, daß Rom von nun an andere Erinnerungen bergen würde – nicht mehr Ingmar.

Und ich schrieb ihm einen Brief, in dem ich ihm sagte, daß alles vorbei sei.

Es ist eine kurze Liebesgeschichte, die so vielen anderen gleicht.

Sie dauerte fünf Jahre.

Nachdem sie ein paar Jahre mit ihm zusammengelebt hatte, begann sie ihn zu beobachten, ihn als Individuum zu erleben.

Als einen Menschen, dessen Existenz nicht mehr allein von seiner Beziehung zu ihr abhing.

Allmählich erwachte in ihr Verständnis für ihn. Je weiter er sich von ihr zurückzog, um so besser verstand sie ihn – als würde sie durch die Distanz Klarheit gewinnen.

Die Angst verschwand, und die Einsamkeit war leichter zu ertragen, als sie seine Unsicherheit sah.

Sie begann eine ungeheure Zärtlichkeit zu empfinden, und ihr Blick ging über sein heftiges Temperament und seine Ungerechtigkeiten hinweg.

Sie war nicht mehr blind gegen seine Fehler und Schwächen, wie sie es zu Anfang gewesen war. Aber ihr Verstehen und ihre Achtung wuchsen.

Die Anbetung verschwand. Sie stellte fest, daß sein Haar grau war; daß er viel älter war als sie; er war weise und anregend; er war eitel und selbstgefällig.

Und zu ihrer Überraschung entdeckte sie, daß *das* Liebe ist.

Voll Trauer erkannte sie, daß bald das Ende kommen würde, daß sie ihn zu einem Zeitpunkt gefunden hatte, als er bereits anderswohin unterwegs war.

Sie sah ihr Kind an, und es wurde ihr bewußt, daß sie diese Verantwortung bald allein zu tragen haben würde.

Während des letzten Jahres kämpfte sie um ihre Beziehung, obwohl sie wußte, daß es hoffnungslos war und sie weder ihm noch sich etwas Gutes damit erwies.

Und als alles vorüber war, hoffte sie, daß er nicht allein sein würde.

Daß die neue Gefährtin besser für ihn sorgen würde, als sie es getan hatte.

Aber sie brauchte natürlich einige Zeit, um diese Einstellung zu gewinnen.

Sie versuchte sich ins Gedächtnis zurückzurufen, wer sie gewesen war, als sie fünf Jahre zuvor auf die Insel kam.

In ihr war etwas zerbrochen und etwas anderes lebendiger geworden.

Eine Wandlung hatte sich in ihr vollzogen.

Und als sie Bitterkeit und Haß und Verzweiflung überstanden hatte, war sie überzeugt davon, daß sie Liebe erfahren hatte und bereichert worden war.

Aber sie würde nie fähig sein, darüber zu sprechen.

Sie hatte in einen anderen Menschen hineingeschaut und empfand eine tiefe Zärtlichkeit für das, was sie dort gesehen hatte.

Sie hatten sich eine Zeitlang bei den Händen gehalten und waren schmerzlich miteinander verbunden gewesen.

Doch erst, als alles vorbei war, wurden sie wahre Freunde.

ALLES, WAS MIR vertraut war, lag meilenweit entfernt – Menschen und Gerüche und Klänge und Erfahrungen. Hier auf der Insel lebte ich in einer fremden Welt mit fremden Bäumen und Steinen. Mit Farben, die erst allmählich zum Vorschein kamen.

Ich war von allem abgeschnitten, was zuvor mein Leben ausgemacht hatte. Und ich war dabei, ein neues Leben in mir selbst zu suchen.

Eine Wandlung, die durch die Einsamkeit auf seiner Insel ermöglicht wurde.

Wenn ich weinte, gegen ihn anstürmte, wenn er sich in seinem Arbeitszimmer einschloß, wenn er mich für einen Tag verließ, dann war das sehr schmerzlich, aber zugleich wußte ich, daß es mir helfen würde, mich weiterzuentwickeln.

Immer war ich anderen gefolgt, weil ich mich unsicher fühlte. Ich war es gewöhnt, nach irgendwelchen Händen zu greifen, um Hilfe und Verständnis zu suchen.

Und jetzt, obwohl ich mehr Angst hatte und einsamer war als je zuvor, erlangte ich zum erstenmal aus mir selbst heraus ein Gefühl der Sicherheit.

Und ich sehnte mich nach dem Mann, der in seinem Arbeitszimmer saß und schrieb. Ich wollte dieses neue Wissen mit ihm teilen, aber ich konnte es nicht.

Ich ging den steinigen Strand entlang und stellte mir vor, ich sei ein Teil der Natur auf dieser Insel und würde immer hier leben.

Ich versuchte, die turbulente See zu lieben, die eigenartigen Farben, deren Schönheit sich nur spärlich offenbarte. Und je mehr ich mich bemühte, um so beklemmender wurde die Angst, daß ich bald nicht mehr hier sein würde.

Ich wollte meine Arme ausbreiten und alles umschließen, aber da meine Befürchtung, daß es mir nie gehören würde, so groß war, kam es nie soweit, daß es mir gehörte.

Ich verbrachte ein paar Jahre meines Lebens dort, und was ich mitnahm, waren nicht die Steine und die Bäume und die Schönheit.

Ich verließ die Insel mit Einsamkeit in meinem Gepäck und dem Gefühl, daß sich irgend etwas in mir für immer gewandelt hatte.

Was soll ich über den eigentlichen Abschied sagen?

Die Publicity um unseren privaten Kummer. Die Zeitungen, die in unser Leben eindrangen. Breittraten, was schmerzlich war. Illustrierte mit Titelbildern aus den Anfängen unseres Zusammenseins. Lächelnde, glückliche Gesichter und schwarze Schlagzeilen: SEIN NEUES LEBEN OHNE LIV. LESEN SIE DAS ENDE DER GESCHICHTE. In unserem Jammer standen wir mit halb Skandinavien auf vertrautem Fuß.

Ein Reporter rief mich an und sagte in freundlichem, mitleidsvollem Ton, ich hätte die Wahl, die Wahrheit entweder selbst zu sagen oder es der Presse zu überlassen, ihre eigene Version zu schreiben. Ein anderer fragte, ob ich die Telefonnummer seiner neuen Liebe wüßte.

Ich mußte mich aus einem Hotelzimmer stehlen und die Hintertreppe hinunterlaufen, weil vor dem Haupteingang Fotografen warteten. Eine Sonnenbrille, um den Kummer zu verbergen – ein bißchen menschliches Leid, das auf einem Foto an einem vorbeiläuft, verkauft sich gut. Wenn zudem noch der Text eine eingehende Schilderung des Unglücks liefert.

Ich erinnere mich, wie ich vor einem Hinterausgang zwischen Mülltonnen und Wäscheleinen auf einen Wagen wartete. Meine dramatische Ader ließ mich die Situation symbolisch erleben, und ich gelangte zu dem Schluß, daß ich unmöglich den Rest meines Lebens so zubringen konnte. Zwischen Mülltonnen.

Ein paar Freundinnen erwarteten mich am Flughafen, als ich unmittelbar nach der Trennung in Schweden eintraf. Ich fürchtete mich vor all den Blicken und Bemerkungen. Doch das Grüppchen hielt Champagner bereit und schwenkte nach Hippie-Art Plakate, auf denen zu lesen stand: «Das Leben geht weiter.» – «Willkommen, Liv.»

Ich lachte zum erstenmal seit langer Zeit und verschüttete meinen Champagner.

Wir fuhren zu Bibis Wohnung und blieben die ganze Nacht auf. Vier oder fünf Frauen, von denen jede eine Liebesgeschichte zu erzählen hatte und einen Ort irgendwo auf der Welt kannte, an den sie nie mehr zurückkehren konnte.

SOLANGE WIR auf der Insel zusammenlebten, waren es praktische Gesichtspunkte, die man erwägen mußte, wenn man ausbrechen wollte. Es war sehr schwierig für den, der plötzlich fort wollte, und das war immer ich.

Zunächst hatte man drei oder vier Tore zu passieren, die alle geöffnet und geschlossen werden mußten: Hinaus aus dem Wagen – das Tor öffnen – durchfahren – wieder hinaus und das Tor schließen. Dann gab es da die Fähre. Sie verkehrte einmal jede Stunde, und unsere Auseinandersetzungen trafen nie mit ihrem Fahrplan zusammen. Hatte ich endlich den Sund überquert, so verblieb noch eine Stunde Fahrt bis zum Flughafen. Wenn ich dort ankam, war mein Zorn verflogen, und ich kehrte um und fuhr zurück.

Oft stand er an einem der Tore und wartete auf mich. Wir waren so kindisch, alle beide.

Einmal, als wir wirklich wütend aufeinander waren und meinten, diese komplizierte Prozedur nicht riskieren zu können, rief er ein Flugtaxi, das bei der Anlegestelle der Fähre landen sollte. Und damit es nicht peinlich für mich wäre, neben dem Piloten zu sitzen – für den Fall, daß er etwas bemerkte oder daß ich weinte –, erklärte Ingmar am Telefon, ich müsse dringend fort, weil meine alte Großmutter schwer krank sei. Ich begann in aller Eile zu packen, und er saß währenddessen auf einem Stuhl und beobachtete mich mit diesem schwachen Lächeln, das er an sich hat. Das auf dem Foto – dem Schulfoto.

Wir versöhnten uns wieder, dort neben den Koffern.

Als uns das Flugzeug einfiel, rief er an und sagte, er könne nach Stockholm zurückkehren: Großmutter sei überraschend wieder genesen.

Als die endgültige Trennung bevorstand, sprachen wir nicht darüber. Wir taten so, als hätte es keinerlei Bedeutung, daß ich alle meine Kleider einpackte. Nur ein kurzer Besuch in Norwegen.

Linns Sachen ließ ich zurück. Ich wagte nicht, sie zu berühren – es wäre zu offenkundig gewesen, zu endgültig.

Ich drehte mich nicht um, als der Wagen abfuhr, ließ alles hinter mir, was wir zusammen ausgesucht hatten – Stühle und Lampen und Tische. Die Aussicht und das Rauschen des Meeres und der Bäume.

Siri, die alles viel besser begriff als wir, stand hinter dem Vorhang und weinte.

Doch wir weinten nicht. Nicht in diesem Augenblick.

Ein Traum war zu Ende.

Etwas war zu Ende, worauf wir so viele Hoffnungen gesetzt hatten. Niemand kann sich vorstellen, wie groß unsere Hoffnungen anfangs waren.

Solange ich auf der Insel lebte, dachte ich immer wieder, daß es mir irgendwann gelingen würde, die Isolation zu durchbrechen und ihn auf der anderen Seite zu finden.

Es gab so vieles, was der eine im anderen wiedererkannte. Vielleicht waren wir uns zu ähnlich.

Manchmal sagte er das.

Ich träumte von einer tiefen Gemeinsamkeit und war überzeugt davon, daß wir sie erreichen könnten.

Doch mit dem Bruch kam die endgültige Isolation – und ich wußte, daß wir nie zu dieser Gemeinsamkeit finden würden.

Und da zersprang etwas in meinem Inneren.

Das Mädchen in mir weinte unaufhörlich. Es verwandelte mich, die ich immerhin dreißig war, wieder in eine Dreizehnjährige.

Bis ich leergeweint war und begriff, daß es unmöglich war, so zu leben, als könnte ich nur durch einen anderen Menschen Erfüllung finden. Es ist sinnlos, bei jemand anders vor der eigenen Einsamkeit und Unsicherheit Zuflucht zu suchen.

Ingmar gehörte nicht mehr so zu meinem Leben wie zuvor. Das war eine Tatsache, an der sich nichts ändern ließ.

Aber ich hatte noch mich selbst, Kontakt mit meinem eigenen Ich, mit allem in mir, das weiterdrängte.

Ich vermißte Ingmars tägliche Gegenwart, aber ich wußte, daß ich seine Freundschaft besaß und es meine Aufgabe war – da ich es in diesem Augenblick am nötigsten hatte –, einen Berührungspunkt zu finden, wo wir uns begegnen konnten.

Mit meiner ganzen Kraft baute ich eine Brücke zwischen uns, und danach war alles besser.

Eine Zeitlang riefen wir einander mehrmals am Tag an. Ich las ihm Stücke aus meinen alten Aufsätzen vor. Er legte seine Lieblingsplatten für mich auf.

Die Liebe hat viele Gesichter.

Es gelang mir, meine Kontakte zu anderen Menschen zu verbessern. Ich stieß auf Respekt, als ich unabhängig wurde, aufhörte mich anzuklammern. Als ich lernte, mein eigenes Glück nicht so ausschließlich vom Verhalten anderer abhängig zu machen.

Ich hörte auf, von den Menschen zu verlangen oder zu erwarten, daß sie mir das Gefühl der Sicherheit gaben. Nicht ganz. Nicht für immer. Aber ich fiel nie mehr in den alten Zustand zurück.

Leid verwandelte sich – wenn man es so ausdrücken kann – in Freude.

Manche meiner Erfahrungen sind jetzt spärlicher, begrenzter, wie ich glaube, aber mein Leben ist harmonischer.

So geschieht es jedenfalls bei mir.

Das überwältigende Glück – wenn die ganze Welt duftet und die Sonne scheint und die Emotionen einem fast die Sinne rauben – dieses Glück scheint jetzt seltener.

Doch es existiert. Ich werde mir immer dessen bewußt sein, daß es existiert. Aber ich mache mir keine Gedanken deshalb, denn es gehört nicht zu meinem täglichen Leben.

Ich glaube nicht mehr an einen dauerhaften Glückszustand. Wie soll man Glück überhaupt messen?

Ich finde, es ist gut, wenn man das, was der Augenblick bringt, erkennt und als Geschenk annimmt.

Ich habe zum erstenmal ein Kind geboren. Dieses unvergleichliche Erlebnis kann ich nie wieder erleben, aber es bereichert alles, was ich später fühlen werde.

Ich betrachte eine brennende Kerze und glaube, daß ich die flackernde Flamme nie so wahrnehmen würde, wie ich es tue, wenn ich nicht Linn auf die Welt hätte kommen sehen.

Ich verließ Fårö, und meine Wurzeln konnten nie mit der Erde verwachsen, aber sie sind für immer in den Erfahrungen verankert, die die Insel mir gab.

Nicht nur, was glücklich macht, ist ein Geschenk. Das habe ich nun akzeptiert.

Dies ist vielleicht meine wichtigste Veränderung.

Dritter Teil

WEISST DU, WIEVIEL
STERNLEIN STEHEN

DER ERSTE WINTER WAR SCHWER. Als hätte die Zeit hier stillgestanden und ich all die Dinge auf mich warten gefunden, die ich zurückgelassen hatte. Zu meiner Freude stellte ich aber auch fest, daß die Veränderung kein Hindernis war – ich konnte dort weitermachen, wo ich aufgehört hatte, als ich Norwegen vor fünf Jahren verließ. Oder kam es mir anfangs nur so vor? Meine Kollegen vom Nationaltheater sagten «Grüß dich» und begegneten mir, als sei ich nie fort gewesen. Vielleicht bildete ich mir das auch nur ein.

Linns Spielkameraden, mit denen sie früher nur dann und wann zusammen gewesen war, kamen jetzt regelmäßig zu uns. Das Haus, das ich gekauft hatte, als ich noch verheiratet war, entsprach dem, was ich mir erträumt hatte. Nachbarn, die über den Gartenzaun mit mir plauderten oder an der Tür klingelten und sich zu einer Tasse Kaffee an den Küchentisch setzten. Die Wasserhähne tropften, und die Sicherungen brannten durch; ich mußte alle möglichen praktischen Dinge lernen – und war stolz, wenn ich etwas repariert hatte. Es war alles ganz normal. Hier hatte ich einmal gedacht, das Ende der Welt sei gekommen. Und nun lag ich wieder in meinem alten Bett, als wäre nichts geschehen.

Es ist Sonntagmorgen, und meine Vierjährige sitzt im Wohnzimmer und telefoniert mit ihrem Vater. Draußen ist es noch dunkel, und es schneit. Ich werde gleich aufstehen und ein paar Kerzen anzünden, Feuer machen und mit Linn frühstücken, wie es wohl alle Mütter um diese Zeit tun – mit ihren Kindern.

Ich werde ein Troll und ein Bär sein und mit mehr Freude und Einsatz spielen als während der Woche, wenn ich von langen Proben zu Racines *Britannicus* aus dem Theater nach Hause komme.

Linn hat eine sehr lebhafte Diskussion mit Ingmar. Sie möchte, daß er durchs Telefon gekrochen kommt und sie besucht.

Dann und wann weine ich.

Linn steht plötzlich in der Tür: «Warum weinst du, Mama?»

«Ich fühle mich manchmal ein bißchen einsam.»

«Du hast doch mich!»

«Erwachsene brauchen aber auch andere Erwachsene.»

«Du hast doch Oma und Tante Nan.»

«Von Zeit zu Zeit hat man aber Sehnsucht nach jemandem, der sich richtig um einen kümmert.»

«Dafür hast du doch den auf Fårö.»

Linn zieht die Vorhänge auf und macht das Fenster zu.

«Mama, wenn du aufgestanden bist, dann darfst du mir auch erzählen, wie die kleinen Kinder gemacht werden.»

Sonntags ist nicht nur der Morgen lang – der ganze Tag will nicht enden. Im Guten wie im Bösen.

Der Rest der Woche geht schnell vorbei. Jeden Vormittag Stimmbildung. Meine Lehrerin ist hingebungsvoll und glücklich, demonstriert mit dem ganzen Körper, läuft vor mir die Treppe hinauf, singt selber, wenn sie es nicht länger ertragen kann, mir zuzuhören. Sie ist achtundsiebzig, und ich bin jedesmal in Hochstimmung, wenn ich sie verlasse.

Im Theater ist es genau umgekehrt. Die anderen sehen alle gut aus und sind begabt, nur ich nicht. Ich gebe mir die größte Mühe, aber die Alexandriner sind zu lang, und die Form ist zu starr. Ich komme an Junie, das junge Mädchen, das Racine beschrieben hat, einfach nicht heran. Merkwürdig, daß man mir diese Rolle gegeben hat; immerhin bin ich dreißig, voller Erfahrungen, die ich umsetzen möchte, und jetzt zwängt man mich in das Korsett einer achtzehnjährigen Naiven. Das Ergebnis ist eine Bauerngans aus Trondheim, die sich auf die Bühne stiehlt und hofft, nicht aufzufallen. Ich habe noch keine Gage erhalten. Ich fühle mich wie eine Fremde und nicht so recht willkommen.

Meine Arbeit beim Rundfunk sagt mir viel mehr zu: Ich spiele die Nora. Ich versuche, in ihren Abschied eine unausgesprochene Hoffnung auf Rückkehr zu legen. Mein eigener Abschied ist noch so nahe.

Ich frage mich, wie viele Noras es auf der Welt gibt, die weggehen *möchten*, es aber nicht wagen. Und wenn sie weggehen – wohin dann? Muß man das überhaupt wissen, oder zählt im Grunde nur der eigentliche Schritt? Der Wille, sich der Welt jenseits der eigenen konstruierten Sicherheit zu stellen?

Die Abende gleichen sich alle. Manchmal gehe ich mit Freunden aus, aber lieber bleibe ich zu Hause bei Linn. Wir haben unsere Rituale. Wir baden zusammen, lesen zusammen, sehen zusammen fern. Ich muß das Abendgebet sprechen. Als sie es das letztemal selbst tat, rief sie Gott mit hoher Kinderstimme an. Und dann, mit wachsender Ungeduld: «G-o-ott!» Enttäuscht sah sie mich an, als wäre ich schuld daran, und sagte: «Er antwortet nicht!» Jetzt bete ich, während sie ungläubig im Bett liegt und mich für dumm hält. Ich will aber kein Risiko eingehen. Sie soll diesen Beistand haben, falls Er doch zuhören sollte.

Premiere von *Britannicus:* Auf der Bühne bin ich zwei Personen – die eine versucht zu spielen, die andere steht daneben und kritisiert jede Geste, jedes Wort. Schleicht sich manchmal sogar ins Publikum, setzt sich einem skeptischen Zuschauer auf den Schoß und saugt gierig jeden kritischen Gedanken ein. Diese beiden Menschen (die beide ich sind) geraten durcheinander, machen mich krank, und ich erwäge ernsthaft, ohnmächtig zu werden, damit der Vorhang fallen kann.

In der Nacht ruft mich mein Agent an und erklärt mir, ich könne ein internationaler Star werden, aber nicht, wenn ich die Absicht hätte, ewig in Oslo zu hocken. Er sagt, ich brauchte mir meine Rollen nur auszusuchen.

Im Dunkeln formt sich langsam ein Entschluß. Ich weiß nicht, wo ich eine wirklich sinnvolle Arbeit finden kann. Ich weiß noch nicht einmal genau, was ich möchte. Aber ich bin sicher, daß ich etwas anderes versuchen muß als das, was ich jetzt mache.

Ich spüre, daß eine Veränderung in der Luft liegt.

Ich filmte in England und Frankreich und Dänemark und Rumänien und Schweden. Linn kam mit, und wir haben viel von der Welt gesehen. Ich hatte kein festes Engagement mehr beim Theater. Auf diese heimatliche Wurzel konnte ich mich nicht mehr berufen.

Aber ich hatte mein Haus, das ich liebte, die Bücher, die Schallplatten, die Kiefern draußen und die Heide, auf der Linn barfuß herumtoben konnte, ihr Puppenhaus und die hundert Tulpen, die wir gepflanzt hatten.

Meine Freunde. Die Familie.

Es gab vieles, wonach wir uns in unseren verschiedenen Hotelzimmern sehnten. Und wenn ich abends unser Gebet sprach, zählte ich das alles auf.

Wir lernten alle möglichen Leute kennen: berühmte und beschränkte und kluge und nette und arme und reiche.

Ich schickte Briefe heim nach Norwegen und erzählte darin, wieviel Spaß es mache, im Ausland zu arbeiten, doch ich hatte meine Zweifel, als ich sie schrieb.

Wenn ich nur daran dachte, wieder in meiner eigenen Küche zu stehen! Ich würde Tee und Spiegeleier machen. Linn würde an ihrem Tisch sitzen und in einem Bilderbuch blättern.

Ich gab all meine Ersparnisse für ein altes Segelschiff aus – es lag in einem italienischen Hafen und sollte meine Wurzel in der Welt sein.

Ich konnte nicht segeln und verbrachte mit einem Freund eine schreckliche Woche auf dem Meer. Wir waren beide die ganze Zeit seekrank. Als ich abreisen mußte, versprach er, sich um das Schiff zu kümmern. Ich habe es nie wieder gesehen – er erzählte mir, es sei gestohlen worden, und kaufte sich ein Antiquitätengeschäft. Ich schrieb Bibi, ich sei allzu früh ein Objekt für Gigolos geworden.

Eines Tages bekam ich ein wunderhübsches Gedicht über Heimweh. Er, der es geschrieben hatte, reiste genauso in der Welt herum wie ich, verbrachte die Nächte in fremden Betten. Er hatte ein dickes Bündel Gedichte in seinem Gepäck. Viele davon las er mir vor – geschrieben auf Hotelbriefbögen aus allen Teilen der Erde. Ein Handkoffer mit zerknitterten, zum Teil ziemlich schmuddeligen Papierfetzen. Ein geheimes Leben, das er immer mit sich trug, um nicht ein Fremdling auf Erden zu sein. Er erzählte mir von seiner Sehnsucht: Das Leben sollte ihn ungehindert überfluten, damit das Glück, falls es kam, ihn bereit und offen fände. Ich sehe oft Fotos von ihm in den Zeitungen. Immer im Mittelpunkt, immer lächelnd. Und ich hoffe, daß er es erreicht hat. Daß er Augenblicke des Glücks gefunden hat, während er von Erfolg und Geld überflutet wurde.

Ich war ein etablierter Filmstar mit Fotos und Interviews in der Presse geworden. Ich lächelte von Bildern, aufgenommen in Hauptstädten, die meine Verwandten meist nur aus dem Atlas kannten. Lächelnd, Arm in Arm mit berühmten und beschränkten und klugen und netten und reichen Leuten.

Ich schlitterte in Situationen hinein, die ich mir nie hätte träumen lassen. Reisen und Eindrücke und Freundlichkeit und Güte, die mein Unterbewußtsein hoffentlich so lange speichern würde, bis das Unglück mich wieder träfe.

Nach einem Jahr fuhr ich zu Besuch nach Hause. Ging am Theater vorbei und litt richtig darunter, daß ich nicht mehr dabei war. Stahl mich während einer Probe in den

Zuschauerraum, setzte mich ins Dunkel und schwelgte in der Welt, zu der ich so gern gehört hätte. Gleichzeitig spürte ich eine gewisse Überheblichkeit, weil ich wußte, daß meine jetzigen Erfahrungen die Texte wettmachten, die ich auf jener Bühne nie sprechen würde.

Zu Hause hielt ich mich stundenlang in der Küche auf, kochte all die Gerichte, die ich mir während dem Essen in Gasthäusern ausgemalt hatte.

Das Nähkränzchen und Freunde – und die Familie.

Fast alles war noch so wie vorher – und doch hatten wir uns alle verändert. In unseren Beziehungen zueinander und in dem Leben, das wir führten.

Ich hatte auf einer Insel gelebt und war in der Welt umhergereist. Von meinem Fenster aus konnte ich die Bäume und Heidelbeersträucher auf dem Land wachsen sehen, das mir gehörte.

Ich spürte eine innere Sicherheit. Schaute zu, wie Linn mit anderen Kindern spielte, und wußte, daß sie glücklich war.

Ich lächelte.

Als Linn noch ein Säugling war, stand ich hinter einem Baum und beobachtete voll Neid die Kinderschwester, die mit meinem Baby in einem großen blauen Kinderwagen vorbeimarschierte. Ich fürchtete sie zu verletzen, wenn ich sie darum bäte, das Kind selbst spazierenzufahren. Besonders, weil es ihre erste Stelle war und weil sie schon zwei Wochen lang vor der Geburt mit mir ausgeharrt hatte.

Linn kam vierzehn Tage zu spät zur Welt, und die ganze Zeit, morgens und abends, riefen die Leute vom Fernsehen an, wo ein komplettes Team auf die Ankunft meines Babys wartete, damit wir mit den Proben für ein Stück beginnen konnten, das ich Monate zuvor unüberlegt angenommen hatte.

Die letzten Wochen verbrachte ich damit, meine Schuldgefühle zu verbergen, fürchtete, alle Leute seien wütend auf mich.

Als das Kind schließlich kam, wurde es mir von wartenden Großmüttern, Verwandten und Schwestern praktisch fortgerissen. Ich wagte nicht zu sagen, daß ich es lieber selbst versorgt hätte. Nur nachts gehörte es ganz allein mir.

Pet, meine Hündin, beobachtete Linn betrübt. Sie lag unter dem Sofa und kam nur darunter hervor, wenn sie sicher war, ich würde sie in die Arme nehmen und ihren Bauch genauso lange kraulen, wie ich Linn gestillt hatte.

In meiner Einbildung litt Pet so sehr, daß ich glaubte, ihr meine unverbrüchliche Liebe dadurch beweisen zu müssen, daß ich allein mit ihr spazierenging, während die Schwester Linn ausfuhr.

Menschen, die Angst haben, die Gefühle eines Dackels zu verletzen, kommen früher oder später in Schwierigkeiten, dachte ich, während Pet und ich uns hinter einem Baum versteckten und mein Erstgeborenes vorbeifahren sahen.

Dabei hätte es der stolzeste Tag meines Lebens sein können.

Ich habe eine Menge Zeit damit verbracht, mich nur nach dem zu richten, was ich glaubte, daß andere von mir wollten. Die Angst, weh zu tun, die Furcht vor Autorität, das Bedürfnis nach Liebe haben mich in die hoffnungslosesten Situationen gebracht. Ich habe meine eigenen Wünsche und Sehnsüchte unterdrückt und, nur darauf erpicht, anderen zu gefallen, all das getan, was sie meiner Meinung nach von mir erwarteten.

Ich erinnere mich an ein Schloß in Sorrent, in dem ich mutterseelenallein wohnte, umgeben von feuchtkalten Steinmauern. Ich lebte damals noch mit Ingmar zusammen. Der Bürgermeister hatte uns zu einem lokalen Filmfestival eingeladen und uns dieses gewaltige Mausoleum zur Verfügung gestellt.

Wie üblich, fuhr ich einen Tag früher mit dem Gepäck voraus. Ich mußte allein in das Schloß ziehen. Ingmar kam nicht. Er blieb auf seiner Insel und schrieb ein Drehbuch und sagte, er hätte eine Mittelohrentzündung. Ich hatte bereits den Verdacht gehabt, daß so etwas passieren würde, doch als ich ein Zimmer in dem Hotel nehmen wollte, wo die anderen Teilnehmer des Festivals abgestiegen waren, redete man mir das aus: Solange ich in dem Schloß wohnte, wohnte Ingmar offiziell ebenfalls dort oder hatte es wenigstens vor. Ich war das Lamm, das geopfert wurde, um den Skandal zu vermeiden, daß ihr Ehrengast nicht auftauchte.

Ich, die als Kind in der Badewanne geschlafen hatte, weil sie als einziger Ort klein genug war, daß ich mich sicher fühlte, hatte nun ein Schlafzimmer von der Größe einer Bahnhofshalle. Darunter, im ersten Stock, lagen riesige, grabesstille Räume, endlose Gänge mit Rüstungen und Kandelabern.

Das Bett mit mir darin stand in der Mitte des Raumes. Dort lag ich und zitterte, während ich das ferne Lachen und Singen aus dem Hotel hören konnte.

Ich wollte fliehen, wagte mich aber einfach nicht diese

düsteren Treppen hinunter. Man konnte keine einzige Tür abschließen; in den Wänden knackte es, und eine Standuhr schlug jede Viertelstunde.

Ich dachte, ich würde die Nacht nicht überleben, aber jeden Morgen lächelte ich den Festival-Veranstaltern zu und sagte ihnen, ich hätte ausgezeichnet geschlafen.

Voll Angst, nicht zu gefallen, voll Angst, weh zu tun, voll Angst, meine Maske des braven Mädchens fallen zu lassen.

Die letzte Reise, die ich mit meinem Mann Jappe gemacht hatte, ging nach Polen. Wir fuhren in einen Gebirgsort, wo abends eine Volkstanzgruppe die Gäste unterhielt. Die allgemeine Stimmung stieg, die Zuschauer machten mit, verfielen in den gleichen Rhythmus wie die Profis, tanzten wie sie eine Art Schuhplattler. Mein Mann lachte und hatte ein gerötetes Gesicht und schlenkerte die Beine höher als alle anderen. Ich saß sicher in einer Ecke und schaute zu.

Bibi, die mit uns gekommen war, rief: «Du mußt auch tanzen, Liv», und Jappe rief noch lauter: «Los, tanz mit uns!»

Ich kippte einen Wodka nach dem anderen, um mir Mut anzutrinken, die Handflächen feucht vom Angstschweiß, weil ich wußte, man erwartete von mir, daß ich mich auch beteiligte.

Ich verließ meine sichere Ecke, ließ mir von einem der Tänzer den Arm um die Taille legen, und im nächsten Augenblick hatte die Musik ihn und mich bereits fortgewirbelt. Einen Moment lang drehte sich der ganze Saal im Kreis, und ich lachte, weil ich das Gefühl hatte, dahinzusegeln.

Aus weiter Ferne hörte ich, wie mein Mann lachend zu

Bibi sagte: «Schau dir Liv an! Sie sieht aus wie ein Elefant, der Polka tanzt.»

Der Saal hörte auf, sich zu drehen. Ich sah, wie alle Gesichter sich mir unter Gelächter zuwandten, und ich riß mich los und lief in die Nacht hinaus. Ich lief und lief, bis ich eine Wiese fand, wo das Gras so hoch war, daß ich mich hineinlegen und vor der ganzen Welt verstecken konnte. Dor lag ich, und niemand vermißte mich; niemand kam, um mich zu suchen.

Nach vielen Stunden kehrte ich ins Haus zurück und ging ins Bett.

Ein unglücklicher Elefant weinte sich in den Schlaf und meinte, er könne nicht länger leben.

Es ist gut, wenn man den Wunsch über Bord wirft, das Leben seiner Umgebung leben zu wollen. Wenn man sich besser kennenlernt, die Gründe für die eigenen Wünsche und Bedürfnisse versteht. Und die Beweggründe der anderen deutlicher wahrnimmt und in ihnen die eigene Angst und Unsicherheit wiederfindet.

SIE WAREN VIER GESCHEITE MÄNNER, und sie belegten eine Woche lang mit ihren Kameras, Scheinwerfern, Aufnahmegeräten und vorgefaßten Meinungen mein Wohnzimmer mit Beschlag.

Ich war berühmt und sollte in einem «persönlichen Porträt» verewigt werden. Ich begrüßte sie und fühlte mich ziemlich geschmeichelt. Es gab vieles, was ich sagen wollte, und ich dachte, ich wäre jetzt weit genug, um den Mut zu haben, mich zu meinen Überzeugungen zu bekennen.

Als sie wieder gingen, stand ich auf der Schwelle und winkte zum Abschied, aber innerlich fühlte ich mich gedemütigt, ein bißchen töricht und allein.

Das Wohnzimmer war wieder mein Wohnzimmer. Ich brauchte Linn nicht mehr zu ermahnen, auf all die Kabel und Stative zu achten, die sechs Tage überall gelegen und gestanden hatten, mit der strengsten Anweisung, nichts zu berühren, wenn die Männer abends in ihr Hotel gegangen waren.

Sie riefen nie an, um sich zu bedanken, und ich fragte mich, weshalb ich das Gefühl hatte, sie hätten mir weh getan.

«Wir hoffen, Sie werden sehr amüsant sein», sagte der Interviewer. Er war mit seinen privaten Sorgen beschäftigt und sprach viel über die Einsamkeit. Er weinte, als ich ihm von meiner eigenen erzählte. Aber das filmten sie nicht.

«Das wird nicht interessant genug», sagte der Produzent und griff sich an den Kopf, als ich redete.

Der Tonmeister lieh sich für eine Stunde mein Bett. Er

fühlte sich nicht wohl und hatte im Hotel schlecht geschlafen – wie sie alle. Außerdem sehnten sie sich nach Hause zurück.

Der Kameramann lächelte mir gelegentlich zu, als wolle er andeuten, er habe von Anfang an nicht damit gerechnet, daß bei dieser ganzen Sache etwas herauskäme, aber deswegen lasse er sich keine grauen Haare wachsen.

Und ich? Linns Kindermädchen suchte sich den ersten Tag des Interviews aus, um zu kündigen. Ich hatte keine Ahnung, woher ich ein neues nehmen sollte. Der Mann, den ich liebte, war Hunderte von Kilometern weit fort, und sein Leben steckte voller Probleme, von denen ich das größte zu sein schien.

Ich wollte dem Interviewer erklären, daß ich *wirklich* lachen konnte. Aber dann waren seine Fragen so ernst, klang seine Stimme so melancholisch, hatte er obendrein die meiste Zeit Tränen in den Augen, daß es mir nicht leicht fiel, Humor beizusteuern.

Sobald jedoch die Kamera auf ihn gerichtet war und er seine Fragen wiederholte, sprach er glatt und unbeschwert, und seine Augen waren ganz Intelligenz, ohne eine Spur von Leid.

Ich hatte auf einen Dialog gehofft, er wollte einen Monolog: meine privaten Gedanken und Ansichten. Aber das, was ich sagte, sollte in das Bild passen, das er von mir zeigen wollte.

Alle vier waren sehr freundlich, und sie nahmen, als sie

gingen, mein Gesicht und meine Stimme auf ihren Film- und Tonbandrollen mit und hinterließen eine Leere in meinem Haus.

Sie erlaubten mir, öffentlich einen Kummer und eine Sehnsucht auszudrücken. Sie fotografierten mein Heim und mein Kind und meine Bücher – und weckten dadurch eine Unsicherheit in mir. Die ließen sie zurück.

ER SAGT IHR, ihre Seele bestehe aus weiten Hochebenen mit jähen, tiefen, dunklen Abgründen, in die er nicht hinabblicken könne.

Er hat nie ihr Verlangen verstanden, ihr Leben offen vor ihm auszubreiten.

Der einzige Abgrund in ihrer Seele, dessen sie sich bewußt ist, enthält ihre Angst und Einsamkeit ohne ihn. Und sie weint und wünscht, er würde die weiten Hochebenen betreten.

Er hat einen Terminkalender, den er einhalten muß, ein schlechtes Gewissen, das er beruhigen muß, wenn er mit ihr glücklich war. Er muß heim zu Frau und Kind und Abendessen, und vielleicht wird er dabei fröhlicher sein, weil sie ihm den Frieden gegeben hat, den er braucht.

Und die Frau mit den weiten Hochebenen und den tiefen Abgründen kauft sich ein Buch und geht nach Hause zu ihrem Telefon.

Seine Hand ist die einzige, die sie halten möchte, und sie wünscht, es möge etwas geschehen, das es für sie möglich und wahr werden läßt, eine neue Hand zu finden, bevor sie ertrinkt.

Sie weiß aber auch, daß sie an jenem Tag, an dem sie einen anderen findet, unter ihr bisheriges Leben einen Schlußstrich ziehen, daß sie umarmen muß, als wäre es das erstemal – um mit ihrem armen treuen Körper zu beweisen, daß sie den vergessen hat, den sie liebte, indem sie Teil eines anderen geworden ist.

Und sie weiß, daß sie danach viele, viele Male, womöglich ihr Leben lang aufwachen und sich nach ihm sehnen wird. Dem nachtrauern wird, was einst sie beide waren.

Während sie ihn noch hat, reisen sie in ein warmes Land. Sie hält seine Hand, während er liest, und sie fühlt einen inneren Frieden, weil alles ganz normal ist. Sie kann das Wissen ertragen, daß er über lange Zeiträume nicht an sie denkt. Aber sie weiß auch, daß die Hand, die in der ihrigen ruht, diese bald kurz und fest drücken wird, um zu zeigen, daß sie für ihn existiert.

Manchmal wendet er den Kopf und schaut sie glücklich an, und gelegentlich kann es geschehen, daß sich innere Unruhe in seinen Augen zeigt. Dann weiß sie, daß er an seine Frau und seine Kinder denkt, und sie begreift mit eisiger Klarheit, daß er sie liebt und daß er sie verlassen wird.

Als hätte er ihre Gedanken gelesen, legt er sein Buch beiseite. «Ich könnte niemals ohne dich leben», belügt er sie in der Sonne.

Sie glaubt ihm, bis er einschläft, während er sie fest in den Armen hält.

Sie weiß, wenn er aufwacht, wird sein Schuldgefühl auch sein Bedürfnis nach Sicherheit und Ordnung wecken, nach Loyalität gegenüber dem, was er für seine Verantwortung hält. Was er einer anderen schuldet.

Geliebter Mann.

Ich kam mit einem Koffer nach Hollywood, der für zehn Tage gepackt war. Man hatte mich zur Premiere von *Die Auswanderer* eingeladen. Ich blieb viele Monate.

Eine verblüffte Schauspielerin aus Trondheim wurde mit Angeboten überschüttet. Leute lächelten und hießen mich willkommen, öffneten ihre Häuser, pflückten Früchte von ihren Bäumen und legten sie in die Hände meines Kindes.

Ich begann zu arbeiten, und Linn und ich zogen in ein riesiges Haus mit fünf Badezimmern und einem Swimming-pool und einem Gästebungalow; schrieben in Briefen an Freunde, die Leute hier müßten verrückt sein, aber es machte Spaß. Mein Badezimmer war so groß wie eine normale Osloer Wohnung. Es war so prächtig, daß das Klosett wie ein Thron gebaut war, damit man nicht vergaß, daß man ein Filmstar war, wenn die Natur ihr Recht verlangte.

«Sie müssen sich die Haare schneiden lassen», sagte ein Produzent.

«Nein!»

«Ich werde Sie zum größten Star machen, wenn Sie sich nur ein bißchen anders anziehen.»

«Ich habe mich immer so angezogen.»

«Sie sollten sich vielleicht etwas mehr schminken. Lassen Sie die Rechnung vom Kosmetiksalon an mich schikken.»

«Bestimmt nicht.»

Und dann ließen sie mich in Ruhe. Schließlich hatte ich den Ruf, eine ernsthafte Schauspielerin zu sein. Ich hatte Seele und Tiefe und war Europäerin. Ich benutzte kein Make-up, und ich kam aus Norwegen.

Man war großzügig zu mir. Ich fand Freunde und Bekannte, badete in geheizten Schwimmbecken, saß in den weichen Sesseln privater Vorführräume und sah Filme und ging an ausgedehnten Sandstränden am Meer spazieren.

Ich stand morgens auf meinem Rasen und schielte hoch zur Sonne, wurde ins Studio gefahren, während die meisten Leute noch schliefen – um halb sechs, wenn Nacht und Tag ihr Bestes vereinen.

Der Maskenbildner schwatzte mit mir, während er mich auf seinem Stuhl zurechtmachte. Er gab mir gute Ratschläge für mein neues Leben und war immer in der Nähe, als müsse er aufpassen, daß ich nicht in Schwierigkeiten geriet. Seit vielen Jahren, und bereits vor meiner Geburt, beugte er sich schon über weltberühmte Gesichter und bedeckte sie mit Cremes und Schminke und Puder. Frauenkörper, die bei Männern auf der ganzen Welt Anlaß zu süßen Träumen gewesen waren, hatten sich hier in losen Morgenmänteln entspannt und einen Augenblick der Freiheit genossen, ehe sie in die Garderobe geführt und an den nötigen Stellen eingeschnürt und ausgestopft wurden.

«Das Leben ist so kurz», sagte der Gesichtskünstler, «und niemand kann mich überreden, heute etwas für die Versprechungen von morgen aufzugeben.» Sein Hals und seine Hände waren mit Kettchen und Talismanen überladen – und bei jeder Bewegung klimperte er fröhlich damit. Er trug ein kleines Käppchen, um seine Glatze zu verbergen.

«Strahle!» flüsterte er mir zu, als ich in die Scheinwerfer und Hitze und vor die Kameras trat. «Das hat Shirley Temples Mutter immer zu ihrer Tochter gesagt.»

Ich blieb einige Monate in Hollywood und versuchte zu

strahlen. Als sich etwas in mir dagegen auflehnte, erinnerte ich mich daran, daß ich bald wieder zu Hause sein würde. Ich freute mich darauf, einen Film auf der schwedischen Insel zu machen, mit alten Freunden in einfachen Sommerhäuschen zu wohnen, in denen es weder heißes Wasser noch Strom gab. Bei jedem Wetter hundert Meter zu einem absseitsstehenden Örtchen zu gehen.

Dort zu sitzen, durch die Ritzen in der Bretterwand das Meer zu sehen und zu fühlen, wie schön es ist zu leben – wenn der Beruf einen heute nach Hollywood verschlägt und morgen auf ein ödes Eiland in der Ostsee.

ES WURDE IMMER SCHWIERIGER, durch die Straßen zu gehen, ohne erkannt zu werden. Unbekannte blieben vor mir stehen und sagten: «Entschuldigen Sie bitte, sind Sie nicht Liv Ullmann?» Die alte Schüchternheit kehrte zurück, machte mich so verlegen wie früher, nur daß sie jetzt mit anderen, komplizierteren Empfindungen gemischt war. Ich reagierte auf Komplimente, indem ich lächelnd zuhörte; zuhörte und dann weiterging, nicht zuletzt, um mich nicht von den Schmeicheleien verführen zu lassen.

Ich hatte innerlich noch nichts Großartiges erreicht, aber ich hatte einiges erfahren und verstehen gelernt. Es gab Zeiten, wo mein Gewissen mich nicht mehr beunruhigte, weil ich dieses nicht getan hatte oder jenes nicht wußte. Ich freute mich an der neuerworbenen Fähigkeit, meine Entscheidungen selbst zu treffen (auch wenn sie falsch waren), ich genoß es zu arbeiten, zornig zu sein, zu weinen, zu lachen, zu leben.

Kostete es aus, ich sein zu können, ob im Positiven oder Negativen.

Es war nicht ein Wunder, das mich verwandelt hatte. Ich lebte nicht glücklich und zufrieden bis an mein seliges Ende. Ich hatte oft Angst.

Aber ich war innerlich reicher; ich hatte mich besser mit mir angefreundet.

Das Schwere war der Kampf gegen alles ringsum: gewisse Bücher, Fernsehsendungen, Filme, Zeitungen – die Massenmedien, die täglich verkündeten, wie ein glücklicher Mensch beschaffen sein sollte, die Gigantisches, den Triumph versprachen.

Und da saß ich mit meinem kleinen, simplen Glück, zufrieden mit dem, was ich hatte, bis ich darauf hingewiesen wurde, daß die Liebe, zum Beispiel, die so wunderschön besungen und beschrieben und gemalt wurde, viel mehr sei als das, was ich besaß.

Ich hatte zeitweise Angst und wachte auf und weinte laut in die Nacht, weil sie, was immer ich erreichte – und wann immer ich dachte, ich hätte etwas geschafft –, erklärten, daß es noch etwas Besseres gäbe.

Aber ich kämpfte die ganze Zeit, um bei dem, was mir gehörte, Ruhe und Frieden zu finden, das wärmste und beste Gefühl des Augenblicks zu genießen, ohne ständig zu denken: «O Gott, dies ist nicht genug.»

Viele meiner Träume sollten nie erfüllt werden, doch ich hatte herausgefunden, was ich mir nie hätte träumen lassen: Die Wirklichkeit kann selbst dann großartig sein, wenn das Leben es nicht ist.

Meine Hände begannen zu zittern – manchmal mußte ich ein Glas mit beiden Händen halten. Früher konnte ich überall und jederzeit schlafen, doch nun lag ich oft wach.

Ich ertappte mich dabei, daß ich im Alltag teilnahmslos an der unmittelbaren Wirklichkeit vorbeiging, später jedoch mit voller Hingabe dieselbe Wirklichkeit auf der Bühne wiedergab.

Wenn ich auf der Straße einem Betrunkenen begegnete, folgte ich ihm, nicht, um ihm zu helfen, sondern um zu studieren, wie er seine Füße setzte, wie seine Arme schlaff herabhingen und an seinem Körper hin und her baumelten.

Andere Menschen, die ich traf, wurden zu Objekten, die ich für berufliche Zwecke benutzen konnte.

Ich wischte die Tränen aus den Augen einer Figur, die

ich spielte, und ging blind an Tränen vorbei, die in meinem Haus flossen.

O ja, ich sah die Gefahren. Zögerte.

Ich lernte einen Sportler kennen, der die Spitze erreicht hatte. Hörte ihn von seinem Rekordlauf reden, bei dem Zehntelsekunden zwischen ihm und dem nächsten gelegen hatten. Was hatte er für jene Momente geopfert? Wie sah die Kehrseite seiner Medaille aus? Hatte er die wenigen Sekunden des Triumphs nicht mit Tagen und Monaten und Jahren bezahlt, in denen er zu allem anderen nein sagen mußte?

War es das, wofür *ich* meine neugewonnene Freiheit benutzte?

Ich packte meine Koffer und flog heim nach Oslo, unterschrieb einen Vertrag mit dem Norwegischen Staatstheater. Endlich hatte ich wieder eine berufliche Bindung an Norwegen.

Ich kam mir vor wie die Galionsfigur eines alten Schiffes. Die anscheinend so stolz am Bug prangt und durch die Wellen pflügt und in die Weite blickt, während ihr Körper schräg an das Schiff gepreßt ist, zu dem sie gehört.

EINES HABE ICH GELERNT: daß ein Ehemann eine Art Alibi für eine Frau ist. Ganz gleich, wie es hinter den Kulissen aussieht.

Er darf dick und borniert und alt sein, aber trotzdem darf er *ihren* schlaffen Körper und *ihr* Klimakterium verurteilen und trifft überall auf Verständnis, wenn er sie gegen eine jüngere eintauscht. Das gilt für das Berufsleben. Das gilt für das Privatleben.

Es gab Zeiten in meinem Leben, wo ich mich in der exponierten Situation befand, mit der eine alleinstehende oder geschiedene Frau fertig werden muß. War die Frau, von der alle wissen: «Sie hat niemanden.»

Ein Mann kann abends allein in ein Restaurant gehen; ich nicht, ohne daß man mich kritisiert, mir ungebeten männliche Gesellschaft aufdrängt, an der ich nicht interessiert bin, mich bemitleidet.

Bei Gagenverhandlungen habe ich das gleiche verlangt wie ein männlicher Kollege. Obwohl wir beide die gleiche Anzahl von Jahren beim Theater sind, sagt man mir, er müsse mehr bekommen, weil er eine Familie zu ernähren habe. Ich mit meinem Kind und meinem Haus und meinen Verantwortlichkeiten falle nicht in diese Kategorie. Weil ich eine Frau bin.

Ich bin der Brotverdiener meiner Familie, habe aber im Gegensatz zu ihm keine kostenlose Haushälterin in der Gestalt einer Ehefrau.

Bei einer Scheidung hat der Ehemann häufiger eine Alternative.

Der Frau werden unweigerlich Schuldgefühle eingeimpft, wenn sie arbeiten möchte oder muß und ihr Kind von anderen versorgen läßt. Weil sie eine Frau ist, braucht das Kind sie zu Hause. Weil er ein Mann ist, findet man es normal, daß er zuerst an seinen Beruf denkt.

Wenn ein Mann und eine Frau nicht geheiratet haben, ist sie die Mutter eines unehelichen Kindes.

Sie hat die Verantwortung. Sie muß achtzehn Jahre ihres Lebens so einrichten, wie es für das Kind am besten ist. Sie muß Arbeit und Kontakte mit anderen Menschen ablehnen, wenn sie keine Hilfe bezahlen oder bekommen kann. Sie muß nach Hause eilen und pünktlich da sein, weil sie weiß, wer immer ihr auch hilft, wird davonlaufen, wenn er – oder sie – das Gefühl hat, ausgenutzt zu werden.

Ich schaue mir mein Einkommen an und frage mich, was Frauen machen, die nicht selbst für ihre Kinder sorgen können und auf das angewiesen sind, was ein Mann als angemessene Unterhaltszahlung betrachtet.

Ich habe Freundinnen, die ein Jahr lang keinen einzigen Abend aus dem Haus gekommen sind, weil sie von ihrer Doppelbelastung erschöpft waren: die Hektik, um den Terminkalender einzuhalten, das schlechte Gewissen, der Mangel an Schlaf. Sie unterdrücken ihr Bedürfnis nach emotionalen Kontakten zu anderen Menschen – außer ihrem Kind –, bis zu einem unbestimmten Zeitpunkt in der Zukunft, an dem sie endlich *schlafen*, sich ausruhen, einen Tag ganz für sich allein haben können.

Zum Glück bekommt die alleinstehende Mutter jedoch die Küsse, die bekritzelten Zettelchen auf dem Kopfkissen, die kleinen Geheimnisse, die körperliche Wärme, die Verantwortung. Darf dem Kind jeden Tag nahe sein. Gefühlsmäßig gesehen, ist sie dem Mann gegenüber unvergleichlich im Vorteil.

Ich habe aufgehört, Einladungen von Leuten anzuneh-

men, die Frauen lediglich als Anhängsel eines Mannes betrachten und bei denen ich nichts gelte, weil ich unverhei-
ratet bin. Ich ärgere mich nicht länger darüber; auf Menschen, für die ich als Frau nicht gleich viel wert bin wie ein
Mann, kann ich verzichten.

Eine Frau zu sein, heißt die gleichen Bedürfnisse und
Sehnsüchte zu haben wie ein Mann.

Wir brauchen Liebe, und wir möchten Liebe geben.

Wenn wir nur akzeptieren könnten, daß es keinen Unterschied gibt, wenn es um menschliche Werte geht. Ganz
gleich, welchem Geschlecht wir angehören. Ganz gleich,
welches Leben wir gewählt haben.

Ich habe meine Tage und meine Wechseljahre; und
meine Angst vor schlaffen Brüsten; fühle das junge Mädchen, das ich bin, und das man in meinem Gesicht nicht
mehr sehen kann.

Und *er* hat sein Prestige und seine Schwierigkeiten im
Beruf und die Angst vor der Glatze und davor, impotent zu
werden, und seine Zweifel und die Unsicherheit, die schon
mit dreizehn Jahren begann.

Wir tragen gemeinsam an unseren Problemen. Wir bedeuten füreinander weder Gefahr noch Bedrohung – dann
nicht, wenn wir spüren, daß der eine den anderen nötig hat.

ENDE 1972 brachte eine amerikanische Filmzeitschrift einen langen Artikel über mich, und auf dem Titelblatt stand unter meinem lächelnden Gesicht: «Die Geschichte einer Siegerin.»

Das *Tagebuch einer Siegerin* möge zeigen, wie damals der Ablauf einer beliebigen Woche für mich aussah.

Montag. In Hollywood können die unglaublichsten Sachen passieren. Man kann über Nacht ein Star werden. Schmuck und Pelze können plötzlich vor der Haustür liegen. Aber ich glaube, *neun* Weihnachtsbäume bekomme nur ich.

Einer davon ist für Linn, aber sie wird zu ihrer Großmutter und ihren Vettern und Kusinen und zu einer weißen Weihnacht nach Norwegen fliegen.

Freunde sitzen auf dem Fußboden meines Hotelflurs und schmücken einen Baum, der mich erwarten soll, wenn ich vom Flughafen zurückkomme. Sie haben bunte Kugeln und lange Bänder in den schwedischen Farben gekauft – kein seltener Irrtum in Hollywood, wo man glaubt, Norwegen sei irgendeine skandinavische Provinz.

Meine Freunde warten vor meiner Tür, als ich zurückkehre, und ich trage ihr schönes Geschenk in das Zimmer, das sie nach der Abreise meiner Tochter leer und öde glaubten.

Sie sperren vor Staunen den Mund auf, weil den Wänden entlang und in den Ecken Weihnachtsbäume in allen möglichen Formen und Farben mit großen und kleinen Zauberlichtern blitzen und funkeln. Einer davon dreht sich sogar und singt Weihnachtslieder.

Der berühmte Filmheld holt mich zum Abendessen ab. Er

schleppt eine riesige Tanne an, übersät mit künstlichem Silber und imitierten Perlen. Leider hat er Ähnlichkeit mit meiner ersten Liebe, und in solchen Fällen leuchten automatisch rote Warnlichter in mir auf. In Amerika wird es sehr schwierig, wenn diese Signale aufblinken – weil amerikanische Männer «Ich liebe dich» als Bestandteil der Konversation betrachten.

Und wenn der Mann eine Berühmtheit ist, kann man nicht einfach mit einem Lachen darüber hinweggehen; weil sie alle so empfindliche Egos haben und glauben, sie seien nie besser gewesen, als wenn sie über einem Glas Wein ihre Samtaugen halb schließen und Worte aus den Filmen flüstern, in denen sie gespielt haben.

Am nächsten Tag verkünden alle Zeitungen, der berühmte Filmheld und ich seien *lovers*.

Dienstag. Ich bin bei *Playboy*-Verleger Hugh Hefner zum Dinner eingeladen. Bei unserer Ankunft müssen wir diverse elektrische Tore mit eingebauten Fernsehkameras passieren. Bilder von allen Personen, die durchgehen, erscheinen auf einem Bildschirm im Pförtnerhaus und werden von drei Privatdetektiven mit geladenen Revolvern im Gürtel geprüft. Man hat mehrmals Einbrüche und Gewaltverbrechen versucht. Erst vor wenigen Wochen wurden in der Nachbarschaft bestialische Morde begangen; der Mörder hatte kein anderes Motiv oder Ziel, als Menschen zu töten, die in seinen Augen zu reich und zu erfolgreich waren.

Der Playboy-König trägt einen Frotteepyjama. Ein paar Mädchen mit langen Hasenohren aus Pelz am Kopf und kleinen buschigen Schwänzen am Popo laufen hin und her.

Wir schauen Filme an: Ein Hund treibt es mit einem Mädchen. Ich denke an Pet, meinen eigenen Vierbeiner, und hoffe, sie wird nie erfahren, was ich hier sehe.

Danach sitzen wir in kleinen Gruppen herum und wissen nicht, worüber wir reden sollen, weil der Gastgeber auf dem Sofa eingeschlafen ist und wir anderen uns so gut wie gar nicht kennen. Die Hasenmädchen zeigen einigen Gästen das Haus.

Ich schaue mir das Grundstück an. Ein künstlicher Hügel im Garten. Darin verborgen eine unterirdische Grotte mit strudelnden, geheizten Wellen. Zwei Leute, die im Wasser unter roten und blauten Spotlights irgendwelche Dinge treiben.

Mittwoch. Ein langer Arbeitstag. Früh am Morgen Kostümprobe für *Forty Carats,* nach einer endlosen Fahrt mit einem Chauffeur, der einstmals Cowboyrollen spielte und sich nicht bewußt ist, daß er hörbar mit der Zunge sein künstliches Gebiß hin und her schiebt.

Später Eislauftraining. Zehn Männer, angeführt vom Regisseur, dem Kameramann und dem Produzenten, folgen mir, um zu sehen, was ich kann. Obgleich ich im Film tapsig und aus der Übung gekommen wirken soll (wie man es bei einer vierzigjährigen Frau erwartet), möchten sie jetzt wissen, ob ich mich überhaupt auf den Füßen halten kann.

Ich bin seit meiner Kindheit nicht mehr Schlittschuh gelaufen. Erinnerungen an so manches Fiasko auf kalten Eisbahnen in Trondheim, als ich ungeschickt und dreizehn Jahre alt war, mit wackeligen Knien und mit Knöcheln, die ständig einknickten. Abend für Abend, in der Hoffnung, die Kunst doch noch zu erlernen – damit ich eines Tages bei zärtlicher Musik, Hand in Hand mit James Stewart durch das sanfte Dunkel gleiten könnte.

Nun, Jahre später, besteht der einzige Unterschied im Beifall meines zehnköpfigen Gefolges. Dann fragen sie, ob ich ein Double haben möchte.

Mittagessen. Ein schwedischer Journalist sitzt auf dem Rasen vor der Kantine und wartet auf mich. Da er die Zeitungen dieser Woche noch nicht gelesen hat, meint er, ich ginge immer noch mit dem Filmhelden von letzter Woche aus. Eine Viertelstunde der kostbaren Mittagspause geht für ihn drauf, damit die Presse zu Hause nicht berichtet, ich sei hochnäsig geworden.

In der Kantine warten ein Agent und ein Produzent. Sie möchten mit mir besprechen, wer die männliche Hauptrolle in meinem nächsten Film spielen soll. Ich bin entzückt, daß ich gefragt werde, obwohl ich ganz genau weiß, daß es nur ein Manöver ist, um mir zu schmeicheln. Ich habe den Verdacht, daß irgendwo bereits ein Schauspieler mit einem unterschriebenen Vertrag sitzt, der genauso über mich befragt wird.

Am Nachmittag probiere ich Hüte. Dieselbe Schar wie heute morgen versammelt sich im Büro des Produzenten, um von mir zu erfahren, wie tief ich die Hutkrempe in die Stirn haben möchte. Von mir, die ich in Modefragen so unsicher bin, daß ich schon ein anderes Kleid anziehe, wenn meine Tochter mir einen kritischen Blick zuwirft!

Dann ein Interview. «Sie wirkten in dem Artikel in der *Los Angeles Times* so traurig», sagt man mir. «Haben Sie keine amüsantere Version für uns?»

Ich habe gerade die Premiere meines ersten Hollywood-films hinter mir, der niemandem gefallen hat.

«Darling, du warst fabelhaft», sagen alle und umarmen mich.

Am Abend gehe ich auf einen Ball. Die berühmtesten Gäste werden auf einem Podium plaziert, um zu speisen. Dort sitzen wir in drei Reihen, eine höher als die andere, die Gesichter dem Saal zugewandt, damit die, die für ihr Essen bezahlt haben, beobachten können, wie wir unseres kauen, und sehen, daß wir uns wie gewöhnliche Leute unterhalten und benehmen.

Mae West wird von zwei starken Männern mit langen Haaren und offenen Hemden über Unmassen von Muskeln hereingeleitet. Man flüstert mir ins Ohr, es seien ihre Liebhaber. Sie hat gelbe Korkenzieherlöckchen und eine dicke Schminkschicht auf dem Gesicht, und sie hat künstliche Wimpern, die sich zu lösen beginnen. Man bittet mich, zu ihr zu gehen, damit wir einander vorgestellt werden. Sie möchte mich angeblich unbedingt kennenlernen. Stumm geben wir uns die Hand.

Im Weggehen höre ich, wie sie einem ihrer Liebhaber zuzischelt: «Wer zum Teufel war denn das?»

Donnerstag. Linn in Norwegen angerufen. Sie sagt, sie sehe gerade fern, ob ich mich deshalb bitte kurz fassen würde. Ich erzähle ihr von dem Baum, den sie geschenkt bekommen hat. Er ist groß; die Zweige sind aus Karamel und Schokolade, der Stamm besteht aus einer Zucker-stange in allen Farben, und der ganze Baum ist übersät mit kleinen Lichtern, die strahlen und funkeln.

Später am Tag fliege ich nach New York. Der Flug dauert fünfeinhalb Stunden, und ich schlafe die ganze Strecke. Das gefällt mir am Fliegen: niemand ruft an. Es ist wie geschenkte Zeit – Zeit, die ich ganz für mich allein habe.

Auf dem Flughafen stehen Fotografen, Autos und Leute, die ich wiedererkennen müßte. Im Hotel hat man mir die beste Suite reserviert, überladen mit Blumen und Früchten. Ich sehne mich danach, daß all die Leute, die ich nicht wiedererkenne, mein Zimmer verlassen: Wer sind sie? Was wollen sie? Warum sind sie da?

Ich stehe am Fenster und blicke vom dreißigsten Stock auf New York hinunter. Riesige Bauwerke für menschliche Wesen, die fast den Himmel berühren. Die Autos unten so dicht neben- und hintereinander, daß vom Asphalt der Straße nichts mehr zu sehen ist.

Dann spaziere ich durch die riesigen Räume, die für ein paar Tage meine Zimmer, mein Heim sind. An der Wand hängt eine Liste, die mir sagt, was ich alles tun muß, um einen angenehmen Aufenthalt zu haben: nie im Zimmer sein, ohne die Kette vorzulegen; nie jemanden einlassen, der sagt, er wolle den Fernseher reparieren; nie mit Unbekannten in der Hotelhalle reden.

Plötzlich eine Erinnerung an Linn. Linn am Tag vor ihrer Abreise auf einer Erwachsenenparty: Alle Gäste bekamen ein Musikinstrument in die Hand gedrückt. Und wir sitzen auf dem Fußboden und singen und spielen unsere Instrumente und lachen.

Linn fragt, ob sie ein Solo singen darf, und wir verstummen ihr zuliebe. Sehr ernsthaft, sehr hingebungsvoll singt sie «London-Bridge is falling down».

Ein alter Traum irgendwo in mir erwacht – eine Vision: wie richtig es ist, daß sich verschiedene Generationen im selben Raum zusammenfinden und gemeinsam freuen.

Linn später am gleichen Abend: Ich sehe sie durch das Verandafenster. Sie sitzt mit einem alten Herrn auf einem Sofa. Der Kopf bewegt sich, ich sehe nur ihre gestikulierenden Hände und die Rücken der beiden. Sie lebt dort draußen ihr eigenes Leben.

Noch ein paar Jahre wird sie der Mittelpunkt ihrer eigenen Welt sein – wie ich es einst in meiner war, bis Linn geboren wurde und ich es als Geschenk empfand, daß *sie* in mir zum Zentrum meiner Welt wurde.

Freitag. Offizielles Mittagessen mit dem *Time Magazine*. Die leitenden Herren haben mich in ihr Allerheiligstes eingeladen. Sie wollen eine Titelgeschichte über mich bringen, und sie wollen mich prüfen, um zu sehen, ob ich für eine solche Ehre genug Persönlichkeit bin. Unter einem Schwall von Fragen und Provokationen über den großen runden Tisch hinweg gebe ich mir Mühe, nebenbei auch etwas zu essen. Ich habe noch einen langen Arbeitstag vor mir. *Sie* sind harte Burschen, aber *ich* bin eine Frau aus Trondheim.

Während der letzten beiden Wochen meiner Dreharbeiten in Griechenland war dauernd ein Reporter von *Time* um mich herum gewesen, und dann hatte er auch noch auf dem endlosen Flug nach Los Angeles neben mir gesessen – so daß ich nicht zu schlafen wagte, aus Angst, der Unterkiefer könnte mir hinunterklappen. Einige Geheimnisse müssen vor der Presse verborgen bleiben. Wir wurden gute Freunde und trennten uns nach einer Woche in Hollywood wie Bruder und Schwester.

Jetzt erklärte man mir, daß ich in New York von einem

anderen Journalisten begleitet werden soll. Beim Kaffee frage ich den neuen, warum *er* plötzlich auf dem Schauplatz erschienen sei. Er antwortete mir, weil er hart und nüchtern sei und sich nicht leicht ein X für ein U vormachen lasse. *Time* wolle ein Gegengewicht zu den bisherigen positiven Informationen haben und suche jetzt die negative Seite von Miss Ullmann.

Und er habe die Aufgabe, sie bloßzulegen.

Bereitwillig teile ich ihm meine Schwächen mit, serviere ihm, wie schlecht ich in Wirklichkeit bin, und hoffe insgeheim, ihn eben dadurch zu betören.

Am Abend bin ich todmüde und habe nur noch den Wunsch, nach Hause zu gehen. Auf meinem Nachttisch steht ein winziger Baum, den ich überallhin mitnehme. Es ist ein kleines, verkrüppeltes Gewächs, und an seinen Zweigen hängen verschiedene Gegenstände aus Messing, die alle eine bestimmte Bedeutung haben. Ich bilde mir ein, daß es mir Glück bringt. Ich bekam es von einer großen Schauspielerin geschenkt, als ich das Nationaltheater verließ und in die Welt zog.

Ich telefoniere, um zu sagen, daß ich eine Verabredung zum Dinner nicht einhalten könne. Gebe Anweisung, daß keine Anrufe durchgestellt werden. Ziehe mir die Decke über den Kopf. Wache mitten in der Nacht mit beunruhigenden Gedanken auf, die das *Time*-Interview ausgelöst hat.

Sonnabend. Filmaufnahmen in den Straßen von New York. Im Herzen der größten Stadt der Welt zeige ich mich in Haute-Couture-Modellen und schicken Hüten. Leute bleiben stehen, um zuzuschauen. Autos und Wolkenkratzer und Gesichter verschmelzen. Eine große Schar von Autogrammjägern drängt sich heran.

Friseur, Maskenbildner, Garderobier – die drei sind nie weiter als ein paar Schritte entfernt. Sie machen mich immer wieder für die Aufnahme zurecht; zupfen an meinen Haaren, tupfen an meinem Gesicht, ziehen an meinen Kleidern, bekunden Freundlichkeit, und ich muß dabei die ganze Zeit konzentriert bleiben. Lächeln und die Freundlichkeit erwidern.

Ich denke an die Zeit, als Mama, Bitten und ich vor einigen Jahren hier waren. Wir wollten im Plaza-Hotel etwas trinken, wurden aber nicht eingelassen, weil wir Hosen anhatten. In aufgeregtem Trondheim-Englisch erklärte Mama empört, sie führe ihre Töchter aus und empfinde eine solche Behandlung als Unverschämtheit. In dem Amerika, in dem *sie* vor dreißig Jahren gelebt habe, wäre so etwas nie passiert.

Jetzt, am Nachmittag, bin ich wieder hier und filme im Herzen des Plaza – seiner eleganten rotgoldenen Halle.

So viele Leute wollen zuschauen, daß sie wie ein großer Chor aussehen, der an den Wänden aufgereiht ist.

Fernsehen, Rundfunk und Presse.

Eine dicke, aufdringliche Dame fragt, wer der Star sei.

«Liv Ullmann», sage ich bescheiden.

«Kenne ich nicht. Das kann kein guter Film sein.»

Als wir das Tagespensum abgedreht haben, treffe ich den Journalisten von *Time*. Er gibt mir ein Exemplar seines Buches über Vietnam – er war dort ein Jahr lang als Korrespondent. Ich mag ihn. Wir reden über Krieg und Umweltverschmutzung, über Kinder und Liebe, entdecken eine schnelle, spontane Übereinstimmung, die unsere Unterhaltung belebt, unsere Begegnung in ein Fest von Gedanken und Einfällen verwandelt.

So habe ich es wenigstens empfunden.

Er kann so garstig über mich schreiben, wie er will – wir haben zumindest miteinander *geredet*.

Abends besucht mich Max von Sydow. Er ist einer meiner besten Arbeitskollegen und zugleich ein sehr guter Freund, und zwar seit *Die Stunde des Wolfs*, dem ersten Film, den wir zusammen drehten, als ich hochschwanger mit Linn war.

Wir veranstalten auf dem Fußboden meiner Suite ein Picknick. Topfpflanzen ernennen wir zu Bäumen, und die seidenen Kissen werden zu Gras und Blumen.

Das Plaza ist so fein, daß sich der Gesichtsausdruck des Kellners nie ändert: nur ein kaum merkliches Beben der Nasenflügel, als er in die Knie geht und uns das Dinner auf dem Spannteppich serviert.

Sonntag. Zurück in Los Angeles. Weihnachten. Weihnachtsbäume in allen Straßen. Lichter in den Fenstern und bunte Dekorationen an den Türen. So anders als in Norwegen:

Das weiße Schweigen in den Wäldern. Der Schnee und die Fichten und die Skispuren.

Hier scheint die Sonne, und ich gehe in einer dünnen Jacke aus. Ich kann es nicht ertragen, in dem Hotelzimmer mit all den Weihnachtsbäumen zu sein, die mich anglitzern.

Heiligabend, 19 Uhr, und ich bin auf der Rückfahrt vom Studio. Zu Hause sitzen jetzt alle bei Tisch und essen Rippchen mit Sauerkraut.

Vier junge Mädchen – sehr jung – in einem Fenster, an dem wir vorbeifahren. Sie sind glücklich, beugen sich hinaus, lachen den Autos und den Menschen darin zu. Sie sind schlank, haben zerzauste Haare.

Ein Stich ins Herz aus Sehnsucht und Angst, weil jene Tage nie wiederkehren.

Zwei meiner Weihnachtsbäume bringe ich ins Schlafzimmer.

Der eine ist von Linn. Sie hat ihn mit selbstgebastelten Engeln und Weihnachtsmännern geschmückt.

Der andere ist von einem sehr guten Freund und steckt in einem Topf mit Erde.

«Damit du ihn in Amerika einpflanzen kannst, bevor du wieder abfährst», sagt er. «Dann wirst du auch hier eine Wurzel haben.»

LINN IST WIEDER DA, und wir sitzen am Strand von Malibu, braten Muscheln und trinken Wein. Alles ist weiß: die Häuser, der Sand, der Wein, sogar die flimmernde Luft besteht aus einer klaren, hellen Substanz. Linn bekommt vier unglaubliche Frösche geschenkt, die zweimal im Monat mit lebenden Grashüpfern gefüttert werden müssen. Sie weint, als ich sage, wir könnten sie nicht behalten.

Wir machen ein großes Feuer am Strand, obwohl es noch früher Nachmittag ist.

Jemand spielt Gitarre und singt. Linn tanzt für uns.

Mit Linn zusammen tue ich so, als wäre ich wieder ein Kind, und laufe mit ihr am Wasser entlang, lache den Wellen zu; untersuche die Muscheln, die an Land geschwemmt werden; betrachte die Blumen, die wir in Norwegen nicht haben.

Sie findet einen verletzten Vogel und hält ihn in ihren Händen, bis sie meint, sein Herz klopfe nicht mehr so angstvoll. Dann, als einer der Erwachsenen erklärt, es wäre am besten, ihn zu töten, weil er verwundet sei – läuft sie fort und versteckt sich.

Sie ist das einzige Kind, doch wir alle spielen dieselben Spiele. Nichts kann sie aufhalten, wenn sie davonstürmt – ein sonnenbrauner kleiner Körper mit strohblondem Schopf, und eine lachende Gruppe von Erwachsenen, die hinter ihr herlaufen.

Später ein großes Abendessen in Beverly Hills. Mein Produzent gibt eine Party für mich. Wir fahren alle mit einem Bus hin. Ihm folgt die Limousine, die das Studio geschickt hat. Wir lachen darüber und sagen uns, wie stilvoll wir reisen.

Paul Kohner, mein Agent, hält eine Rede, die an einen

kommenden großen Star bei Tisch gerichtet ist. Ich glaube, ich sei gemeint, bis ich Linn auf ihrem Stuhl zappeln, an ihrem Haar fingern und mit geschlossenen Augen lächeln sehe. Und sie hat recht (sie hat fast immer recht), sie ist gemeint!

Er prostet dem Kind zu, und die hundert Gäste, die wir kaum kennen, stehen auf und lächeln sie an; so, wie man es in Hollywood fabelhaft versteht. Linn genießt es, vergräbt aber gleichzeitig den Kopf in meinem Schoß. Ich denke, wie gut es ist, daß wir bald wieder heim nach Norwegen fahren.

Anschließend zeigt man uns einen Film. Sie und ich sitzen zusammen im Dunkeln. Sie ist zum erstenmal im Kino. Sie ist fünf. Im Widerschein der Leinwand kann ich nur ihr Gesicht sehen. Schnelle, geflüsterte Fragen, plötzliches Begreifen und dann Entzücken – ein kleiner Mund bewegt sich in wortloser Aufmerksamkeit. Alles ist wirklich. Hier und jetzt. Ihre Hand in meiner. Unsere Nähe bei einer gemeinsamen Erfahrung.

Die Heimfahrt. Zarte kleine Finger mit meinen verschränkt.

Das Hotelzimmer ist riesig und in Halbdunkel gehüllt. Wir sitzen am Fenster und blicken in die Nacht hinaus. Nach einer Weile ziehen wir die schweren Vorhänge zu, und ich bestelle ein großes Glas Milch. Sie darf es im Pyjama vor dem Fernsehapparat trinken.

Ich erzähle ihr, daß es, als *ich* noch ein kleines Mädchen war, kein Fernsehen gegeben habe. Sie schaut mich mitleidig an, und ich werde unter ihren Augen plötzlich alt. Sie fragt, ob wir damals mit Pferd und Wagen herumgefahren seien, als ich noch ein Kind war.

Sie trinkt ihre Milch in behutsamen Schlucken, als wolle sie den Tag möglichst lange ausdehnen.

Es ist spät nachts. Ein kleines Kind schläft im Sessel ein. Vorsichtig trage ich es zu einem großen, breiten Bett, das täglich frisch bezogen wird, und dessen Matratze dick und weich ist.

Von ferne höre ich die Autos auf dem Sunset Boulevard und die Geräusche des Nachtlebens.

ICH ERWARTE HOHEN BESUCH. Henry Kissinger soll mich auf einen Ball begleiten.

Er hat in Los Angeles anfragen lassen, wer für ihn die passendste Begleitung für dieses «Ereignis des Jahres» in Hollywood wäre. Jemand hat meinen Namen genannt, und tagelang wurde ich vom Weißen Haus angerufen. Heute rief er selbst an.

Es ist sein ruhmreichstes Jahr, und jeder möchte ihn persönlich kennenlernen. Wie sich später zeigt, sollte nur zwei Tage danach die Watergateaffäre beginnen, die das Ende des Präsidenten bedeutete. Es ist Nixons letztes öffentliches Auftreten, ehe der Skandal der ganzen Welt bekannt wird.

Jedermann scheint an meinem Zusammentreffen mit Kissinger teilhaben zu wollen. Ich habe Kissen und Decken über das Telefon getürmt, um es nicht zu hören.

Eine Freundin aus Norwegen soll als meine Privatsekretärin auftreten. Ungeduldig beugen wir uns aus dem Fenster und versuchen zu erraten, welcher der vor dem Hotel ankommenden Wagen seiner ist.

«Vielleicht ist er so bescheiden, daß er den kleinen roten da fährt», meint meine Freundin.

Ich schaue sie nachsichtig an. Sicherheitsmaßnahmen des politischen Lebens lassen sich nicht in einen Volkswagen zwängen.

Da Mr. Kissinger das erste Rendezvous meines Lebens mit einem mir persönlich nicht bekannten Mann ist, war ich am Telefon verwirrt und vergaß zu fragen, wann er mich abholen würde. Darum sind wir beide, die «Sekretärin» und ich, schon seit drei Stunden fertig angezogen.

Von irgendeiner norwegischen Behörde ist ein Brief gekommen. Man möchte offensichtlich, daß ich Mr. Kissinger über etwas informiere, das mit Öl zu tun hat, mir ist aber nicht klar, worum es sich wirklich handelt. (Es stellt sich heraus, daß er nicht einmal weiß, daß man in Norwegen Öl gefunden hat.)

Aus Schweden bekomme ich ein kurzes Schreiben des Sekretärs eines bestimmten Politikers, der mich bittet, einige Bemerkungen, die er über Kissinger gemacht hat, zu dementieren. (Eine Woche später wiederholt er seine Bemerkungen bei einer Pressekonferenz.)

Anonyme Drohbriefe liegen zusammengeknüllt im Papierkorb. (Sie fallen mir manchmal ein, wenn ich nachts aufwache.)

Das Telefon grummelt unter den Decken.

Ich habe herausbekommen, welches sein Lieblingswein ist. Eine Flasche davon steht in Eis, das seit einigen Stunden geschmolzen ist.

Meine Suite ist durchsucht worden – wer immer mich empfohlen haben mag, war also nicht vertrauenswürdig genug: Ich könnte trotzdem eine Geheimagentin sein oder Bomben unter meinem Bett versteckt haben.

Das alles ist sehr ungewöhnlich für jemanden, der noch nie ein Rendezvous mit einem fremden Mann gehabt hat, und ich rege mich so auf, daß ich mich umziehe und ein Kleid aussuche, das lange nicht so hübsch ist.

Ein norwegischer Journalist schickt seine Visitenkarte mit der Bitte hoch, ob er sich als Butler verkleiden dürfe. In dieser Hoffnung sei er eigens aus Oslo gekommen. Wir lassen antworten, der Posten sei bereits besetzt.

Die «Sekretärin» und ich gehen noch einmal das Programm durch: wie sie den Wein servieren soll, nebenbei

vielleicht eine Bemerkung über Öl fallen lassen, ein bißchen herumpusseln, ein paar Papiere ordnen – und sich
dann still verhalten wird.

Es klopft an der Tür.

Wir sausen beide hin, stolpern übereinander. Ich stoße
sie zur Seite und zische ihr zu, der Plan habe sich geändert.
Ich werde selbst die Tür öffnen.

Er lächelt und ist viel kleiner als ich. Mir ist sofort klar,
daß ich die falschen Schuhe anhabe.

Wir geben uns die Hand, während er den ernst drein-
blickenden Männern im Korridor beruhigend zurück-
winkt.

Sie, die den Wein einschenken sollte, verschüttet vor
Aufregung das meiste auf seine Hose. Fieberhaft versuchen wir alle drei, den Fleck zu entfernen, und am Ende ist
er fast verschwunden.

Erst im Fahrstuhl sehe ich, daß das Etikett von der Rei-
nigung noch an meinem zweitbesten Kleid hängt. Ich
ziehe und ziehe und ziehe und reiße gleichzeitig einen kleinen Stoffetzen heraus. An meiner Handtasche fehlt der
Tragriemen.

Die «Sekretärin» erzählt nach meiner Rückkehr, man
habe es im Fernsehen deutlich erkennen können.

Ich gleite in einen Wagen mit kugelsicheren Scheiben,
nach mir Männer mit kleinen Mikrofonen, in die sie die
ganze Zeit hineinsprechen.

Ich denke, wie weit weg ich doch von Trondheim bin.

Spät in der Nacht liege ich mit meiner Freundin, die aufge-
blieben ist, um auf meinen Bericht zu warten, auf dem
Doppelbett.

214

Ich habe ihr tausend Dinge zu erzählen – da läutet das Telefon. Es ist der norwegische Journalist, der vom Foyer aus anruft. Seine Reise hat Hunderte von Dollar gekostet, er hat die halbe Nacht gewartet und erinnert mich an einen Gefallen, den er mir einmal getan hat. Nach einer langen Diskussion und ein paar kleinen Drohungen kommt er schließlich herauf und setzt sich an mein Bett. Den Notizblock gezückt, blickt er mich erwartungsvoll an und bittet mich zu berichten, was ich zu Kissinger gesagt habe und, wichtiger noch, was Kissinger zu mir gesagt hat. Ich schweige, aber meine Freundin murmelt etwas von einem Licht, das sie um seinen Kopf zu sehen glaubte. Im Herzen vergebe ich ihr, weil ich weiß, daß sie den ganzen Abend allein war und darauf gewartet hat, auch etwas zu sagen. Außerdem muß sie jetzt sehr müde sein.

Am nächsten Tag tanze ich durch die Weltpresse und sage: «Es ist, als sei Henry Kissinger von einem Heiligenschein umgeben.»

Das «Nähkränzchen» ist nach Hollywood gekommen.

Wenn ein Mitglied für den Oscar nominiert worden ist, versteht es sich von selbst, daß sämtliche Freundinnen herbeieilen.

Die Heldin ist überzeugt, daß sie keinen Preis bekommen wird.

Das Hotelzimmer füllt sich langsam mit Leuten, die ihr versichern, sie hätten gehört – sie wüßten – es gäbe gar keinen Zweifel mehr: Sie wird gewinnen!

Zuletzt glaubt sie es fast selbst. Ihre Wangen röten sich hektisch, und als ihre Freundinnen sie ins Bett stecken, damit sie an diesem Abend schön aussieht, ist sie einfach nicht imstande, sich zu entspannen.

Die Mutter ist ebenfalls nach Hollywood gekommen. Nun sitzt sie in ihrem Zimmer und wünscht, alles möge gutgehen für das Baby.

«Das Nähkränzchen» nimmt Anrufe aus Ost und West entgegen, sortiert die Glückwunschtelegramme, die vorsorglich schon im voraus geschickt worden sind. Arrangiert die Blumensträuße und stürzt zu den Fenstern und blickt auf die Palmen und Menschen hinab. Schaltet schließlich das Fernsehen an, wo alle Welt über die Oscars redet.

Die Freundinnen bekommen ebenfalls gerötete Gesichter und wecken die Heldin, die so tut, als schliefe sie.

Alle fünf sitzen auf dem breiten Bett und machen eine Flasche Champagner auf, bestellen russischen Kaviar und wünschen sich, daß die Bekannten zu Hause sie jetzt sehen könnten.

Dann erscheinen Friseur und Maskenbildner, gute

Freunde von den Dreharbeiten zu mehreren amerikanischen Filmen. Beide haben darauf bestanden, die Heldin ein bißchen herrichten zu dürfen.

Sie trinken auch Champagner, geraten aber längst nicht so sehr aus der Fassung wie das «Nähkränzchen». Viele Oscar-Kandidaten sind durch ihre Hände gegangen. Freundlich und geübt kaschieren sie die Nervosität der Heldin mit Schminke und Locken. Als sie fertig sind, ist sie kaum wiederzuerkennen. Die Freundinnen holen das neue Kleid, und einen Augenblick lang kommt die Heldin sich wie das häßliche junge Entlein bei der ersten Begegnung mit den Schwänen vor.

Die Mutter sitzt auf dem Sofa und hat Tränen in den Augen, als man ihr das Baby in seiner endgültigen Form vorführt. Sie meint, das sei unter solchen Umständen die passendste Reaktion für eine Mutter.

Der Agent trifft ein. Lächelnd und freundlich, mit Geschenken für alle.

Er hat noch nie Besuch von einem norwegischen Nähkränzchen gehabt.

Die Heldin sieht, daß auch er zum erstenmal Nerven braucht. Er versichert etwas zu lebhaft, die Welt ginge ja nicht gleich unter. Wenn sie dieses Jahr keinen Oscar bekäme, würde sie ihn bestimmt ein anderes Mal erhalten.

Alle versichern sich gegenseitig, letzten Endes spiele es natürlich überhaupt keine Rolle, ob sie gewinne oder nicht. Aber insgeheim suchen sie schon einen Platz in ihrem Wohnzimmer aus, wo die Trophäe hingestellt werden soll.

Der Wagen wartet am Eingang auf sie. Lang und schwarz, wie üblich. Der Chauffeur scheint sich der Bedeutung des Anlasses nicht bewußt zu sein. Seine Augen sind müde. Er haßt Oscar-Abende, weil die Straßen dann immer verstopft sind. Lange schwarze Kreuzer gleiten durch die Dunkelheit, beladen mit Menschen in ihren kostbarsten Roben.

Geschminkte Gesichter blicken würdevoll auf andere Fuhren, die an ihnen vorbeiziehen.

Sie sind da!

Ein Gewirr von Scheinwerfern und Polizisten und Fotografen. Man hat gewaltige Tribünen errichtet. Die Leute drängen sich wie in einem Fußballstadion. Namen werden über Lautsprecher ausgerufen. Blitzlichter flammen auf.

Die Heldin aus Trondheim zittert am ganzen Leibe. Sie kann nicht lächeln, weil ihr Mund ihr nicht mehr gehorcht.

Sie wird auf ein Podium geführt und für das Fernsehen interviewt und per Lautsprecher vorgestellt und beklatscht und bejubelt, als sie an der Menschenmenge vorbeigeht.

Hier und da hört sie einen Gruß in ihrer Heimatsprache und spürt jähe Dankbarkeit, während sie den roten Teppich entlangstolpert.

Sie würde denen, die sie freundlich anschauen, gern erklären, warum sie nicht zurücklächeln kann.

Das «Nähkränzchen», das im Hotel alles auf dem Fernsehschirm mitverfolgt, ist schrecklich aufgeregt und ruft Verwandte in Norwegen an, um zu sagen, daß die Spannung unerträglich sei.

Die Heldin wird in einen riesigen Saal geführt und mit den anderen Kandidatinnen in eine Reihe gesetzt. Sie blicken sich prüfend an, lächeln und wünschen einander viel Glück. Alle sehen schöner und selbstsicherer aus als sie selbst, denkt die Heldin traurig.

Von allen Anwesenden findet nur die Mutter, daß niemand es mit ihrem Baby aufnehmen kann, und wenn die anderen nicht imstande seien, das zu erkennen, um so schlimmer für die. Und dann weint sie wieder ein bißchen in ihr Taschentuch.

Der Saal ist vollgestopft mit Hoffnungen und Angst und Investitionen. Auf der Bühne eine Glitzershow, die in alle US-Bundesstaaten und viele ferne Länder übertragen wird.

Name um Name wird aufgerufen. Jeder Zweig der Filmbranche muß preisgekrönt werden. Erst kurz vor dem Ende richtet die Kamera sich auf fünf bleiche Frauengesichter. Das Nähkränzchen konstatiert, daß sie recht gelassen wirkt, und beschließt, es ihr später zu sagen.

In diesem Moment wundert sich die Heldin gerade über eine der anderen Nominierten, die mitten in der Zeremonie hinausgegangen ist und ein anderes Kleid angezogen hat. Sie meint, die Enttäuschung müsse letzten Endes viel größer sein, wenn man sich im voraus für den Sieg zurechtmacht.

Der Name der Siegerin wird aufgerufen – und es ist weder die Heldin noch die Zuversichtliche. Die Heldin sieht, wie Tränen in die Augen der Zuversichtlichen treten – ein verzweifelter Star, der an jemandes Schulter zusammenbricht. Plötzlich wird der Heldin klar, daß hier viel mehr auf dem Spiel stand als bei ihr. Langsam wird sie von einem wundervollen Gefühl der Erleichterung durchflutet, während sie der Siegerin auf der Bühne applaudiert.

Das Nähkränzchen erklärt: Wie gut sie damit fertig wird. Seht nur, wie sie lächelt.

Zum erstenmal an diesem Tag bekommt sie wieder ihren

Mund unter Kontrolle. Und sie steht auf, als alles vorbei ist, lacht dem Agenten zu und tätschelt Mutter auf die Wange und beobachtet, wie die Zuversichtliche eine große Sonnenbrille aufsetzt und geht.

Sie versucht die Tatsache zu ignorieren, daß sie nun eine neue Rolle hat – die sich darin widerspiegelt, daß jeder ihr tröstend auf die Schulter klopft: die Rolle der Verliererin.

Draußen stehen Hunderte von Autogrammjägern, die auf sie losstürzen, weil sie sich noch vom Fernsehen her an sie erinnern.

Sie hat ihren Namen ein paarmal geschrieben, als sie ein Kreischen wie von tausend Möwen hört.

Und da erscheint die Siegerin!

Die Autogrammalben werden ihr entrissen – der Name erst halb auf ein Blatt Papier geschrieben, das sie gerade hält. Sie wird bei der Jagd auf die Erfolgreiche fast über den Haufen gerannt.

Als die Heldin nach einer langen Nacht wieder in das Hotel zurückkehrt, findet sie eine Nachricht auf ihrem Kopfkissen:

«Für uns warst du die Beste! Weck uns, wenn du nach Haus kommst. Herzlichst, Dein Nähkränzchen.»

Abermals lächelt der Mund. Jetzt ist es, als könne er nicht mehr aufhören.

In seinem Heimatland fühlte Jan Troell sich sicher. Er zog mit einer Kamera umher und fing die schönsten Landschaften ein, hielt das Leben unter den Menschen für die Nachwelt fest – auf eine Weise, in der es wohl niemand mit ihm aufnehmen konnte.

Die Auswanderer und *Die Siedler* waren große Erfolge in Skandinavien, zuerst als Kinofilme und dann im Fernsehen. Und als sie in Amerika gezeigt wurden, lobte und feierte man sie dort ebenfalls.

Nun treffe ich Jan, nachdem wir zusammen in Schweden gedreht haben, in Kalifornien wieder, wo wir für Warner Brothers *Zandy's Bride* machen sollen.

Er litt die ganze Zeit an Heimweh.

Während er früher von einem Team von fünfzehn Leuten umgeben war, die ein Jahr lang in einer herzlichen, vertrauensvollen und freundschaftlichen Atmosphäre zusammenarbeiteten – traf er nun auf hundert völlig Unbekannte.

Wir drehten in den lieblichen Bergen bei Carmel, einer der schönsten Landschaften Amerikas: Big Sur.

Jeden Morgen verließen wir in langen schwarzen Limousinen das Hotel mit seinem geheizten Swimming-pool und seinen Hamburgers. Wir fuhren durch dichte Dunstschleier, starrten ins Grau und sagten uns, daß es heute unmöglich genug Licht zum Drehen geben könne. Nach einer Stunde bogen die Wagen vom Highway auf eine schmale, gewundene Straße ab. Nach einer weiteren Stunde und zahllosen Serpentinen lag der Berg immer noch im Dunst. Dann, ganz unvermittelt – innerhalb weniger Meter, hinter einer Kurve –, breitete sich die Landschaft in ihrer ganzen Pracht aus. Wir kamen in eine neue

Vegetation und ein anderes Klima. Unter uns der Nebel. Hier, hoch oben, begegneten wir Tag für Tag demselben Wunder: einer Welt aus gleißender Sonne und riesigen grünen Hängen, mit Wiesenblumen, die ich früher noch nie gesehen hatte. Es gab Wildschweine und Pumas und viele, viele Klapperschlangen.

Sie hatten ein kleines Gehöft aufgebaut, mit allem, was dazugehörte, so gestrichen und hergerichtet, als stünde es schon eine Ewigkeit da – überschattet von großen Ulmen.

Dort warteten sie jeden Morgen auf Jan: das hundertköpfige Team.

Ihr Anblick versetzte ihm jedesmal einen Schock, und er nahm Gene Hackman und mich beiseite, um das vertraute Zusammensein mit uns so lange wie nur möglich auszudehnen. Bis er, mit schleppenden Schritten, zu den anderen gehen, Anweisungen erteilen, planen, der Anführer sein mußte. All das, was er nicht wollte und nicht konnte. Während er sehnsüchtige Blicke auf die Kamera warf, sein Werkzeug, das er hier nicht anrühren durfte. Die Gewerkschaft wachte mit scharfen Augen darüber, daß jeder bei seinem Leisten blieb; und Jan hatte laut Vertrag in Amerika nur das Recht, Regie zu führen.

Einmal schlossen wir uns in dem kleinen Haus ein und sagten, wir wollten allein proben. Jan hatte eine Handkamera mit. Es war fast wie in alten Tagen. Meinen Bewegungen folgend, als wäre er ein Teil von mir, nahm er eine der dichtesten und schönsten Szenen des ganzen Films auf: in der Hanna sich danach sehnt, fortzukommen, die wenigen Habseligkeiten betrachtet, die sie von daheim mitgebracht hat, und tränenüberströmt über ihrem Schließkorb zusammenbricht.

Sie luden diesen großen Künstler in ihr Land ein, weil sie die Poesie seiner Bilder bewunderten. Dann nahmen sie ihm sein Werkzeug aus der Hand und hofften, er würde das Wunder für sie wiederholen.

Ich, die ich keine solche Verantwortung hatte, war glücklich. Die Natur war die Quelle meiner Freude. Ich hatte vergessen, daß Feldblumen *so* aussehen. Wie gut es tat, im Gras zu sitzen und ringsum die Frische der reinen Luft zu spüren.

Ich bekam am ganzen Körper Ausschlag von den giftigen Pflanzen, die dort wachsen, machte vorsichtige Schritte, um keine Schlangen aufzuschrecken. Genoß den Anblick von Linn, wenn sie mit den Männern umherritt, die sich um die Pferde zu kümmern hatten.

Unter einem Baum saß Jan Troell und schrieb Briefe nach Hause.

ICH HABE IN FILMZEITSCHRIFTEN von ihm gelesen. Angesichts seiner blauen Augen im Kino geseufzt. Gedacht, nur ein guter Mensch könne so lieb lächeln.

O trügerische Leinwand!

Wir sind in sein großes Haus in Beverly Hills eingeladen worden. Gunvor, Linns schwedisches Kindermädchen, das hier ziemlich blasiert geworden ist, läßt sich in ein weiches Sofa sinken und verkündet, in solchen Häusern bekäme sie jedesmal Kopfschmerzen. Sie ist auf einem kleinen Bauernhof in Norrland, fern von Hollywood, aufgewachsen. Sie ist zwanzig und für Linn und mich unentbehrlich.

«Ich muß dich leider bitten, deiner Tochter einen Badeanzug anzuziehen», sagt der Gastgeber. Sein dreijähriger Sohn ist zu Besuch gekommen.

«Seine Mutter wird sehr unglücklich sein, wenn sie hört, daß er bei mir mit einem nackten Mädchen gebadet hat.»

Gunvor stößt einen hörbaren Seufzer aus, ihr ganzer Körper strahlt Verachtung für Filmstars, Swimming-pools und speziell für diesen kleinen Jungen aus.

Als die Mittagszeit naht, sagt er ihr, sie müsse in der Küche essen. Ich sehe ihn an, bin entsetzt, weil er es offensichtlich ernst meint.

Bei Tisch predigt er Linn, kleine Kinder dürften während der Mahlzeiten nicht reden – bis sie schließlich in Tränen ausbricht. Nur seinen beiden Ältesten erlaubt er, an der Unterhaltung teilzunehmen, die er überwacht. Ich bin stumm.

Im Radio hören wir die Nachricht, daß mir der Titel der «besten Schauspielerin des Jahres» verliehen worden sei. Unverzüglich sagt er mir, wie wenig das bedeute. Die besten Filme und Schauspieler würden aus politischen Gründen übergangen. Ganz nebenbei weist er darauf hin, daß es sehr töricht von mir gewesen sei, jene Titelgeschichte in *Time* zugelassen zu haben.

«Das ist der Tod für einen Schauspieler.»

Er selbst habe jahrelang gekämpft, sich solche Dinge vom Leibe zu halten.

Und dann lachen wir laut und herzhaft darüber, daß ich so dumm gewesen bin. Wir lachen, bis Gunvor den Kopf durch die Küchentür steckt und die Augen gen Himmel rollt.

Sie darf zum Kaffee wieder zu uns kommen, weil das Fernsehen nun einen seiner alten Filme bringt.

Danach diskutieren wir in allen Einzelheiten die Szenen, die er am liebsten mag. Bis Gunvor mit teuflischem Blitzen in den Augen über meine Titelverleihung zu reden anfängt. Sein Gesicht wird bleicher, und mitten in einem Satz von ihr steht er auf und sagt, er habe leider noch zu arbeiten und müsse uns jetzt heimfahren.

Er setzt uns vor dem Hotel ab, und Gunvor, deren Blick nun engelgleich strahlt, nimmt seine Hand und knickst und bedankt sich für das Glück, daß sie ihm so nahe sein durfte; und sie verspricht, allen ihren Freundinnen in Schweden zu erzählen, daß sie ihn *persönlich* kennengelernt habe.

Er sagt mir, was für ein reizendes Kindermädchen ich habe.

Linn und Gunvor und ich feiern die gnädige Entlassung mit Kakao und Schlagsahne auf Linns Bett.

LINN UND ICH machen einen Spaziergang in Beverly Hills.

Wir sind die einzigen Fußgänger auf den Straßen.

Ein Duft von regengetränkten Rasen und Blumen hängt in der Luft. Büsche prangen in allen Farben der Erde.

Wir sprechen über das Leben – über Männer und Frauen und Kinder, über die Kümmernisse und Freuden, die wir kennen, und über die sonderbaren Träume, die wir im Schlaf manchmal haben.

Linn weiß viel mehr als ich. Sie besitzt eine angeborene Weisheit, die ich nie hatte.

Wir reden von Verantwortung, und sie erklärt mir, daß sie mich im Grunde nicht brauche: «Du entscheidest nur zwei Sachen für mich – daß ich morgens die Zeitung holen soll und wann ich ins Bett gehen muß. Außerdem paßt du auf mich auf und gibst mir zu essen. Das ist alles.»

Linn und ich sind uns jetzt nahe. Gehen durch Straßen fern der Heimat und sprechen über Freunde in Norwegen. Über ihren Vater und die Erdbeeren, die sich zu dieser Zeit wohl über seine ganze Insel ausbreiten.

«Was ist das Leben, Mama?» fragt sie. «Nur Menschen?»

Sie betrachtet ein paar winzige Insekten, die neben unseren Füßen am Boden krabbeln.

Ich erzähle ihr, daß es bestimmt viel mehr Arten von krabbelnden Wesen gegeben habe, als ich noch ein Kind war, doch die Menschen hätten ihre Lebensmöglichkeiten vernichtet, genau so, wie wir Vögel und Pflanzen und Tiere ausrotten. Geschöpfe, die sie nie sehen werde. Und wir, die wir uns an sie erinnern, würden nicht lange genug leben, um die Erinnerung an sie wachzuhalten.

«Die Welt der Blumen und Spiele und Träume, die Welt

des Glaubens, die noch die deine ist, Linn», sage ich, «die Welt, die du jetzt mit mir teilst – diese Welt wirst du vergessen. Auch wenn das Leben selbst – das dir niemand beibringen kann – im Augenblick in dir *lebt*.»

Linn wird in eine Welt hineinwachsen, in der niemand je etwas anderes als verarmte Meere und ausgelaugte Luft gekannt hat. In der die Sterne, die *ich* sah, als ich klein war, nicht mehr zu sehen sind.

Sie, die den Fernsehapparat einschalten kann, wenn sie Gesellschaft haben möchte, die sich mit Daten und Grammatik vollstopfen, von unverdaulichen Informationen aus der Gesellschaft, in der sie lebt, umgeben sein wird – sie, die heute noch so frei und lebendig ist, sie wird langsam in der Mühle gemahlen werden, aus der nur Erwachsene herauskommen.

Wir setzen uns in den spärlichen Schatten einer Palme, und ich erzähle ihr von einer Orchidee, von der ich einmal gehört habe. Sie kann sowohl in der Hitze Afrikas als auch im Eis Grönlands gedeihen. Und am merkwürdigsten ist, erzähle ich meiner Kleinen, daß sie ihren fruchtbaren Samen mehrere hundert Jahre lang bei sich tragen kann. Damit wir beide sie vielleicht eines Tages finden und in unserem Garten pflanzen, liebevoll pflegen und ein Leben zur Entfaltung bringen, dessen Anfänge so weit zurückliegen.

Ich erzähle ihr von einer bestimmten Blume, die in Frankreich wächst und die die Form und den Duft angenommen hat, den eine Bienenart, die es nur dort gibt, bevorzugt.

Vielleicht ist es so, weil jahrtausendealte Erfahrung ihr sagt, wen sie verführen soll und wie. Man kann sich aber auch dafür entscheiden, zu glauben, Gott habe der Blume diese Gabe verliehen.

Linn lauscht mit offenem Mund. Die Wirklichkeit, wie ich sie kenne, ist plötzlich der Phantasiewelt nahe, die ihr gehört.

Wir sehen einen Hund vorbeilaufen, dem eine dicke, atemlose Frau nachhetzt. In dem Blick, den er uns zuwirft, spüren wir einen Gedanken. Ein Vogel hüpft umher und hält den Kopf schief und wundert sich über die beiden Leute, die da so friedlich sitzen, wo alle anderen so geschäftig tun.

MORGEN WOLLEN zwei Großmächte ein Friedensabkommen unterzeichnen.

Nixon und Breschnew treffen sich bei einem Bankett in der Sowjetischen Botschaft.

Ich sitze zwischen dem sowjetischen Botschafter und Kissinger.

Verblüfft über das, was ringsum geschieht, versuche ich, den Schlüssel zu den Klischees herauszufinden, die über den Tisch schwirren. Ich befinde mich inmitten einer geheiligten Bruderschaft von Männern und komme mir nach einer Weile vor wie früher in der Schule, wenn die Jungen über etwas redeten und ich kaum glauben konnte, daß sie ihre wichtigen Mienen und ihr Gerede ernst nahmen.

Gromyko ist blaß und sitzt mit gebeugtem Rücken an einer Ecke des Tisches, den Mund zusammengepreßt und traurig.

Er erinnert mich an einen melancholischen Onkel, der zu meiner Hochzeit kam.

Ich kann aber auch Humor in seinen Augen erkennen. Jedesmal, wenn in einer Rede sein Name fällt, wird er rot.

Breschnew wirkt ein bißchen eitel, doch ich mag ihn sofort, als er meine Hand zwischen seine breiten Handteller nimmt und mir sagt, *Die Auswanderer* hätten ihm sehr gefallen. Ich danke Gott, daß ich nicht den geringsten politischen Einfluß habe, denn ich merke, wie empfänglich ich für Schmeicheleien bin. Im Sitzen sieht Nixon winzig aus. Sein Oberkörper ist beinahe kleiner als sein Kopf. Die Schminke ist ein wenig zerlaufen, und ich bin froh für ihn, daß die Fotografiererei vorbei ist. Ich fühle ein gewisses Mitleid mit seinem Gesicht. In dem das Schwarz um die Augen ein bißchen verschmiert ist. Er würde eine fabelhafte tragische Figur in einem Bergman-Film abgeben, wenn er nur ein besserer Schauspieler wäre.

Wir essen eingeflogenen Kaviar und trinken eingeflogenen Wodka, serviert von eingeflogenen Kellnern, die unmittelbar nach dem Bankett wieder ausgeflogen werden.

Die ganze Sache ist fast so großartig wie das Dîner, an dem ich einmal in Italien teilnahm. Hinter jedem Stuhl stand ein Lakai, der vor jedem Gang ein neues Paar Handschuhe und zum Kaffee ein neues Jackett anzog.

Ich weiß, daß diesem Abend lange Diskussionen unter vier Augen vorangegangen sind; große Leistungen und Katastrophen werden von wenigen Leuten in privaten Räumlichkeiten im Gespräch zustande gebracht. Heute scheint noch nichts entschieden worden zu sein. Der Vertrag, der morgen früh unterzeichnet werden soll und auf den die ganze Welt wartet, ist noch ungewiß. Unsere Zukunft wird doch wohl nicht beim Nachtisch entschieden?

Jedermann scheint an einem Gesellschaftsspiel teilzunehmen. Mir kommt ein furchtbarer Verdacht. Daß der Ernst, mit dem Journalisten über die Zusammentreffen dieser Männer berichten, entweder eine andere Art von Spiel oder eine bewußte Manipulierung der Tatsachen ist.

Auf mich wirkt es wie eine Premierenfeier im Norwegischen Theater.

Die gleichen unverbindlichen Reden und Worte und Trinksprüche und Versprechen, die gar nichts bedeuten.

Könnte es sein, daß die ganze Welt an dieser Vorstellung teilnimmt? Eine kleine Zahl von Leuten als Hauptdarsteller und in kleineren, aber sehr wichtigen Nebenrollen die Journalisten. Und wir anderen alle als Publikum.

Und als Opfer.

ICH BIN EIN WANDERER. Selbst wenn ich glaube, ich hätte Wurzeln geschlagen – am nächsten Tag bin ich abermals unterwegs in eine andere Stadt, ein neues Land. Doch früher oder später bin ich immer wieder zu Hause.

Auf der Bühne in Oslo oder in Schweden bei Ingmar.

Paul, mein amerikanischer Agent, meint, für meine internationale Karriere wäre es besser, wenn ich mich in Kalifornien niederließe.

Er holt Bilder von seinen Enkeln hervor und zeigt sie mir; ist voller Stolz, wenn er Gäste durch sein Haus und seinen Garten führt, entspannt sich wunderbar, wenn er bei seiner Familie ist, zu der er ein besonders gutes Verhältnis hat.

Ich möchte, daß er dieselben Bedürfnisse auch mir zugesteht. Er findet es kaum begreiflich, daß eine Bühnenrolle daheim in Norwegen für mich genauso wichtig ist wie all das, was er mir hier bieten kann.

Paul und ich essen mit dem ältesten Sohn seiner Tochter zu Abend. Der Junge betrachtet Paul mit kritischen Augen hinter runden Brillengläsern. «Du solltest bei Tisch eine Jacke anziehen», sagt dieses Kind. Sein Großvater lächelt breit und stolz, und obgleich die Hitze förmlich im Raum zu stehen scheint, holt er eine Jacke und zieht sie an, und er sieht strahlender und glücklicher aus, als ich ihn jemals bei einer der Galapremieren seiner Schützlinge erlebt habe.

In meiner Villa in Beverly Hills erzählt Jerry Brown mir von seinem Leben als Mönch. Er hat mehrere Jahre sehr spartanisch in einem strengen Kloster gelebt. Er spricht über Gott und seinen Glauben – und wieviel Gutes er gern täte, wenn er politischen Einfluß hätte. Jerry begräbt in unserem Garten einen Vogel. Er ist gegen die Fensterscheibe geflogen und stirbt fast unmittelbar darauf. Jerry hält ihn in der Hand und glaubt, es sei ein Omen. Ich weiß nicht wofür. Heute ist er Gouverneur von Kalifornien, eines Tages wird er vielleicht Präsident der USA sein.

Ich gehe zu politischen Dinners, und oft erscheinen mir die Gäste dort wie aufgezogene Puppen: Köpfe rucken in regelmäßigen Abständen von links nach rechts, ganz gleich was sie gerade sagen. Dabei ein Lächeln, das nie vom Gesicht verschwindet – nie die Augen erreicht.

Sonntage am Swimming-pool – Freunde, die kommen und gehen. Manche sind sogar aus Norwegen hergeflogen und liegen nun in der Sonne und fühlen sich wohl.

Abendessen bei Emily. Sie ist hier drüben meine Pressesekretärin, Freundin und Ersatzmutter. Ihre zwei Hunde, beide klein und griesgrämig, hocken schleifengeschmückt bei Tisch. Emilys Mutter, die neunzig Jahre alt ist und ständig von Emily auf die Wange getätschelt wird, ist ganz eindeutig der Mittelpunkt des Hauses.

Ich sitze auf einem Sofa in einem Hotelzimmer und sage einem Mann Lebewohl, mit dem ich nicht länger zusammenleben kann. Ich weine, und er weint. Ich blicke kurz auf. An der Wand vor uns hängt ein Spiegel. Er starrt hinein und ordnet die Haare über seiner Stirn, während er schniefende Geräusche macht.

Jemand nimmt meine Hand und liest in ihren Linien die Zukunft. Ich werde zwei schwere Jahre und dann die beste Zeit meines Lebens haben. Ich glaube alles, was er mir sagt.

Auf einer Party lerne ich einen weltberühmten Astrologen kennen. Er hält meinen Arm umklammert und blickt mich eindringlich an, während er mir sagt, ich sei eine ungeheuer interessante Persönlichkeit – er müsse mir einfach mein Horoskop stellen. Sehr geschmeichelt stimme ich zu – und glaube ihm jedes Wort: Ich hätte zwei unglaublich glückliche Jahre vor mir, dann käme ein wirklich sehr schweres. Er verlangt zweihundert Dollar. Er mache es billig, sagt er, weil er mein Freund sei.

Ich verbringe lange, einsame Nächte im Bett sitzend, esse Spaghetti und kleckere rote Sauce auf die Steppdecke oder führe teure Telefongespräche mit zu Hause oder suche mir eine Sendung auf einem der dreizehn Fernsehkanäle aus.

Bei der Arbeit, auf der Straße, in Gesellschaft begegne ich früher oder später all den Namen, von denen ich gelesen habe, all den Gesichtern, die ich von Bildern kenne.

Vanessa Redgrave läutet an meiner Haustür und redet zwei Stunden von Revolution, ohne mich ein einziges Mal anzusehen. Ich werde langsam nervös. Sie läßt mich überhaupt nicht zu Wort kommen. Sie bittet mich, einen Scheck auszustellen. Sie wollen in London eine Schule zur Ausbildung neuer revolutionärer Führer gründen. Ich sage, ich würde gern etwas mehr darüber erfahren; ob sie vielleicht eine Broschüre dabei habe, die ich selbst studieren könne. Sie blickt mir zum erstenmal in die Augen und antwortet, sie brauchten das Geld aber *jetzt*. Ich frage, ob sie glaubt, die Revolution werde blutig sein, und sie erwidert, wegen der Aggressivität der Gegner werde man Blutvergießen nicht vermeiden können. Nun wendet sie die Augen nicht mehr von meinem Gesicht. Mit steifen Fingern hantiere ich mit meinem Scheckbuch herum. Ich denke daran, daß mein Mittagessen in ihrem Magen verschwunden ist, daß sie viel größer ist als ich und daß sie vielleicht sehen kann, wie ich mich vor ihr fürchte. Ihre Stimme diktiert mir, einen möglichst hohen Betrag einzusetzen. Sprachlos sehe ich sie mit meinem Scheck in der Hand zur Tür hinausgehen. Eine Stunde später schicke ich ihr ein Telegramm und bitte sie, das Geld an Amnesty International zu überweisen.

Jane Fonda bekommt einen Oscar. Am nächsten Morgen, als ich gerade in den Zeitungen von ihrem großen Triumph lese, ruft sie mich an, um zu sagen, daß es ihr gelungen sei, den Namen und die Telefonnummer eines fabelhaften Sprechtherapeuten aufzutreiben: «Ich habe gehört, Sie suchen einen.» Und dann wünscht sie mir in herzlichem Tonfall viel Glück.

Mein Nähkränzchen wird in ganz Hollywood zum Cocktail eingeladen. Am denkwürdigsten fanden sie einen Abend bei Rock Hudson. Nachdem er sie an seinem freien Tag nach Disneyland gefahren hat, macht er ein großartiges Dinner, nur für sie. Zeigt ihnen sein wundervolles Haus – völlig anders als alles, was sie von Norwegen her kennen. Die fünf norwegischen Mädchen sitzen auf einer großen Terrasse und sehen – zusammen mit einem Idol ihrer Jugend –, wie sich die Nacht auf Los Angeles senkt.

Ich esse mit einem Produzenten und seiner Frau zu Abend. Bei der Mahlzeit starren wir auf drei Fernseher zugleich. Er liebt Fußball – und auf drei verschiedenen Kanälen werden drei verschiedene Finale übertragen.

Ich spiele mit meiner Kleinen Filmstar, und wir beide hüpfen angezogen in den Swimming-pool, weil wir gelesen haben, man mache es hier so.

Die Herzlichkeit der Menschen, die ich in Hollywood ken-

nenlerne, ist einmalig. Die Gastfreundschaft, die Großzügigkeit.

Linn ist in jedem Haus genauso willkommen wie ich.
Weihnachten und der Thanksgiving Day und andere Feier-
tage bedeuten für uns eine Kette von Besuchen in einem
Haus nach dem anderen.

Wo sich jedermann mit der gleichen Freundlichkeit um
zwei Menschen kümmert, die fern der Heimat leben.

Aber Los Angeles kann auch furchterregend sein, wenn
es klingelt und draußen ein Polizist steht und mir sagt, ich
dürfe Linn auf keinen Fall allein auf der Straße spielen lassen. Oder wenn Bekannte zu Besuch kommen und entsetzt
sind, daß ich Linn die Haustür öffnen lasse.

Es ist furchterregend, weil es dort so viel gibt, das ich
nicht verstehe, Erfahrungen, die mir fehlen. Ich habe hier
mehr Drogensüchtige, mehr zerstörte Träume, müde Augen, kranke Seelen gefunden als irgendwo anders. Ober-
flächlichkeit und Schmeichelei. Gesichtszüge, deren Härte
nicht mehr von Make-up verdeckt werden kann. Bitterkeit
und Enttäuschung, auf ewig in ein Gesicht gemeißelt, das
sorgfältig bemalt und mit Puder und Cremes maskiert ist.

Armut und Reichtum und Erfolg und Scheitern zusam-
mengebündelt in einer Stadt, die mehr Einwohner hat als
ganz Norwegen.

Ich habe oft Sehnsucht nach Kalifornien – aber wenn ich
dort lebe, sehne ich mich noch mehr danach, daheim zu
sein.

Sie wuchs in einem Land auf, wo das Licht eine blaue Tönung hat.

Viele Jahre beobachtete sie, wie die Jahreszeiten der Landschaft, in der sie lebte, laufend neue Gesichter schenkten. Viermal im Jahr nahm sie den Wandel der Natur um sich wahr.

Ein kleines Mädchen – an einem Wintertag – Wollsachen zwischen Körper und Kälte – den Rücken gebeugt, um sich vor dem Wind zu schützen – frierend, als lebte es mitten in einem Schneeball.

Im späteren Leben trug sie dieses Gefühl in ihrem Innern mit sich.

Ähnlich, wie sie das Glücksgefühl behielt, das sie empfand, wenn sie zum erstenmal wieder in Kniestrümpfen und, wenn es ganz hoch kam, auch noch in kurzen Ärmeln nach draußen gehen durfte, nur mit einem Mantel über dem Arm, für alle Fälle.

Der Baum, der viele Monate lang nackte, fast schwarze Zweige vor ihrem Fenster ausgebreitet hatte, verwandelte sich in wenigen Tagen in einen grünen Schleier, der den Rest der Welt vor ihr verbarg, wenn sie hinausschaute.

Und die Schönheit des Herbstes.

In ihrem ganzen Leben als Erwachsene war dies die Jahreszeit, in der sie sich am wohlsten fühlte; schon als Kind hatte sie den Herbst am meisten geliebt.

Wenn die Blätter die herrlichsten Farben und Goldtöne annahmen – als wollte Gott sie noch ein letztesmal schmücken, ehe sie abfielen und starben und vom Wind fortgefegt wurden.

Ich habe mich im Weißen Haus verlaufen. Ich gehe Flure entlang, die im Dunkel der Nacht liegen. Vorbei an Sicherheitsbeamten und Sekretärinnen, die an Telefonen sitzen.

Nur das ovale Büro des Präsidenten ist leer und in Zwielicht gehüllt.

Ich sehe Familienporträts an den Wänden und Vergoldung auf den Stühlen.

Eine Tür ist angelehnt, ich blicke in ein Badezimmer, das viel kleiner ist als meines zu Hause. Aber hier gibt es ein Telefon: vier Knöpfe für vier Berater, wenn etwas entschieden werden muß, während *er* dort sitzt.

Wenn ich heute Fotos des früheren Präsidenten sehe, frage ich mich, was diese Knöpfe für ihn bedeutet haben mögen – ob er sie vermißt und was sie ihm wert waren.

Ein anderes Mal, an einem anderen Ort, sehe ich ein königliches Bett und ein königliches Schlafzimmer, aber ein König ist nicht da.

Das Bett ist viel schmaler als meines zu Haus, und ich sehe ein Paar zerschlissener Hausschuhe und Familienporträts an den Wänden und keine Vergoldung auf den Stühlen.

Auf dem Nachttisch liegt ein Buch, das ich selbst gerade zu Ende gelesen habe. Wenn ich jetzt Bilder von diesem König in den Zeitungen sehe, wird mein Gefühl für ihn von der Erinnerung an seine Pantoffeln erwärmt.

Einmal lade ich Mama und meine Schwester im Herbst nach Tokio ein, wo ich geboren wurde. Wo Mama vor fast vierzig Jahren so glücklich und so jung war.

Sie ist voller Erwartungen, als wir abfliegen. Brennt darauf, japanisch zu sprechen, auf vertrauten Wegen zu gehen, das Haus in dem Park zu suchen, das unser Heim war – ihren Töchtern zu zeigen, wo sie ihr Glück erlebt hat.

Wir stehen an einer Tankstelle. Es regnet. Wir werden umringt von Fotografen, die uns auf unserer Suche nach meinem ersten Zuhause gefolgt sind. Jetzt langweilen sie sich und sind ungeduldig. Meine Schwester friert. Ich habe Angst um meine neue Frisur.

Mitten unter uns allen steht Mama, einsam und fassungslos. Sie starrt auf die Mauern ringsum, die Autos, die Zapfsäulen. Sie sagt, eher zu sich selbst: «Aber hier haben wir doch gewohnt. Es *muß* hier gewesen sein.»

Die Erinnerung an Mama, die kein Heim mehr hat, ist stärker als das Bild, das die Zeitungen am nächsten Tag bringen: Mama, die lachend die Arme ausbreitet, als bedauere sie scherzend, daß all das, was sie einst war, nicht mehr existiert.

Vierter Teil

GESICHTER UND MASKEN

Iᴄʜ ʙɪɴ ɪɴ Nᴇᴡ Yᴏʀᴋ und werde während vier Monaten die Nora spielen.

Es ist für mich das dritte Mal: Kurz nach dem Bruch mit Ingmar habe ich sie in einer Rundfunkfassung in Norwegen gespielt; letztes Jahr war ich in Oslo die Nora und habe mit dieser Inszenierung dann per Bus eine Tournee durchs ganze Land gemacht. Diesmal ist es das Lincoln Center in New York.

Szenen einer Ehe hat kürzlich Premiere gehabt, und ich mache die Erfahrung, als fertiger Erfolg zum Broadway zu kommen. Als ich zum erstenmal nach Hollywood kam, endete ich als Titelgeschichte in *Time*, diesmal ist es *Newsweek*. Eine Woche vor der Premiere waren die Karten für sämtliche Vorstellungen ausverkauft. Beim Pressebüro des Theaters gingen über hundert Interviewanfragen ein. Ich bitte sie, eine Grenze zu setzen.

Es ist vielleicht das letztemal, daß ich die Nora spiele, und ich möchte ihr meine ganze Zeit widmen. Durch sie versuche ich, mir darüber klarzuwerden, wo ich heute als Frau stehe.

Ich mache mir Notizen, schreibe auf Papierfetzen, wie sie gerade herumliegen. Sie ergeben eine Art Tagebuch, undatiert und oft in Eile spontan hingekritzelt:

Es kann mir immer noch passieren (obgleich ich mich innerlich dafür ohrfeigen möchte), daß ich mit einem Mann zusammen bin und mich dabei ertappe, wie ich mich für meine Stärke als Frau entschuldige. Weil ich ihn als den Schwächeren sehe, der womöglich Angst vor meiner «Tüchtigkeit» hat.

Ich schaue ihm in die Augen, während ich seine Leistungen lobe und meine herunterspiele.

Ich werde wirklich bevorzugt behandelt – und denke jeden Tag mit einer gewissen Scham darüber nach, wenn ich ins Theater gefahren werde, nachdem man mir auf einem geheizten Teewagen das Frühstück hereingerollt, mich in und aus dem Fahrstuhl komplimentiert, mich mit einem Regenschirm zum Auto begleitet hat, wenn es regnet.

Ich bin das, was viele «privilegiert» nennen, aber ich weiß nur zu gut, daß Erfolg im menschlichen Sinn in dieser Umgebung nicht zu finden ist.

Das Beste, das der Erfolg bringen kann, ist das Wissen, daß es nicht lohnt, sich nach ihm zu sehnen.

Ich werde nie die Einsamkeit vergessen, die ich als Kind kannte.

Einen Teil meines Lebens habe ich mich hinter einer Maske versteckt. Wollte keine Sehnsucht eingestehen.

Jetzt gehören sie untrennbar zu mir – sind etwas, das ich mit anderen teilen kann.

Die Einsamkeit und auch die Sehnsucht.

Ich schleiche mich in eine Vorstellung von *Szenen einer Ehe*. Möchte sie mit einem amerikanischen Publikum erleben. In mir prickelt es ein bißchen vor Stolz, während ich in der langen Schlange stehe – zu all den Menschen gehöre, die gleich meinen Film sehen werden.

Marianne ist so ungeduldig in ihrer Liebe. Ich sehe sie jetzt besser als damals, als ich sie spielte.

Die Trennung von Johan: Sie klammert sich an den Geliebten und glaubt, sie werde ihn dadurch halten können. Sie findet sich nicht im Herzen damit ab, daß alles – auch die Liebe – ständig in Bewegung ist und deshalb dem ewigen Gesetz des Wandels unterliegt.

Als Johan geht, weine ich genauso wie die Frau neben mir im Dunkel des Kinos. Weiß genau, was man fühlt, wenn eine Tür laut zugeschlagen wird. Ein Auto abfährt. Kenne das Schweigen danach, das deutlicher als alles andere sagt, daß es keine Hoffnung mehr gibt. Es ist vorbei.

Viele Jahre lang hat Marianne zugelassen, daß ein Teil von ihr brachlag – all das, was eine konservative Erziehung in ihr verschüttete. Ihre Einstellung zum Leben beruhte auf Konventionen und mangelnder Phantasie; Liebe war für sie weitgehend ein Gefühl der Abhängigkeit. Sie hat versucht, ihr Leben in einem anderen Menschen zu verankern, in dem optimistischen Glauben, der andere werde Kraft für sie beide haben.

Sie hat in dem geruht, was er – wie sie hoffte – für sie empfand.

Nun ist das Schweigen da. Er hat sie verlassen.

Wütend und hilflos schreit Marianne ihre Qual hinaus. Die auch meine Qual ist. Die die Frau neben mir ebenfalls wiedererkennt.

Marianne verkriecht sich tief, ganz tief unter einer Bettdecke; beschließt, nie wieder darunter hervorzukommen. Sie wird nie wieder ganz dieselbe sein.

Manche tun das, was Nora tat. Schlagen die Tür hinter sich zu. Andere, wie Marianne, spähen unter einer Bettdecke hervor, die stundenlang ihr Schluchzen gehört hat.

Eine Wandlung hat stattgefunden. Das alte Leben ist vorbei. Das neue ist im Werden.

Wie sehr wünsche ich mir die Erfahrung – die Fähigkeit –, mein Leben lang nur eine Hand zu halten. Ohne zu fordern.

Aber ich stehe mir selbst im Weg. Stehe da: mein ganzes Ich ein einziger riesiger Block aus gefangenen Ängsten, vergessenen Erfahrungen und Furcht vor dem Alleinsein.

Die ganze Unsicherheit, die in dem Menschen wohnt, der Liv heißt.

Nora steht in der Tür und sagt: «Ich weiß ja gar nicht, was aus mir wird... Da ist eine andere Aufgabe, die ich zuerst lösen muß. Ich muß trachten, mich selbst zu erziehen... Ich muß trachten, mir Erfahrung zu erwerben... Ich kann keine Rücksicht darauf nehmen, was die Leute sagen... Ich muß selbst nachdenken, um in den Dingen Klarheit zu erlangen. Ich muß meinen eigenen Weg finden.»

Ist es nicht das, worauf es ankommt im Leben?

Nicht unbedingt etwas erreichen, aber *immer* auf dem *Weg* sein, in *Bewegung*.

Auch in der Liebe.

Auch mit derselben Hand in meiner – wenn ich Glück habe.

Die Nora in einer fremden Sprache zu spielen, nachdem ich sie auf norwegisch gespielt habe, fällt mir außerordentlich schwer. Ich stelle meinen Wecker auf 5 Uhr. Lese und lese. Nehme eine Reihe Veränderungen in der Übersetzung vor, weil Noras Worte für mich so vieles bedeuten. Ich kenne sie so gut, und ich finde, daß die englische Übersetzung eine Menge von dem nicht wiedergibt, was Noras eigentliches Wesen ausmacht.

Ein Problem besteht darin, den norwegischen Text aus meinem Kopf «herauszuwaschen». Es ist wesentlich, daß ich jetzt auf englisch denke, und wenn ich die norwegischen Assoziationen nicht hinter mir lassen kann, werde ich nie in der Lage sein, es zu schaffen.

Hier muß ich mir ein neues Gefüge von Bildern und einen neuen Bezugsrahmen zulegen.

Nora kann in New York niemals dieselbe sein wie in Oslo.

Wir haben drei Wochen für die Proben. Zu Haus habe ich immer zwei Monate. In meiner eigenen Sprache.

Abends sehe ich fern. Ich darf nicht mehr ausgehen, wenn der Wecker auf 5 Uhr morgens gestellt ist. Die Werbespots, die jede Sendung alle zehn Minuten – manchmal noch häufiger – unterbrechen, machen mich im Namen meines ganzen Geschlechts wütend.

Fortwährend wird den Frauen eingehämmert, ihren Duft zu ändern, ihre Hände zu cremen, ihre Haare mit speziellen Kräutertinkturen zu waschen, ihre Gesichter so zu schminken, daß man sie nicht wiedererkennt, ihre Brüste zu ändern – und all das, um einen Mann zu angeln und/oder zu halten.

Früher wünschte ich mir immer, in einer Jackentasche zu wohnen und nach Lust und Laune hinaus- und wieder hineinschlüpfen zu können. Jetzt gehe ich umher und höre die Schreie von Frauen, die ich mir in anderer Taschen eingesperrt vorstelle.

Mir wird klar, daß ich zu dem Menschen erzogen wurde, zu dem andere mich machen wollten, damit ich ihnen gefiele und meine Gegenwart sie nicht störte.

Jener Mensch war nicht ich.

Als ich begann, *ich* zu sein, spürte ich, daß ich mehr zu geben hatte.

Das Leben war reicher.

Ich versuche, das ganze schlechte Gewissen auszumerzen, das auf unwesentliche Dinge zurückgeht, die all dem im Weg stehen, woran ich wirklich glaube.

Nora sagt zu Helmer: «Ich lebte davon, daß ich dir Kunststücke vormachte, Torvald. Aber du wolltest es ja so haben.»

Die Premiere ist vorbei, und für mich läuft alles gut. Zeitungen, Rundfunk und Fernsehen möchten Interviews. Leute, von denen ich nur den Namen kenne, rufen an und laden mich zu sich nach Haus ein.

Ich habe das merkwürdige Gefühl, daß mein Ich gar nicht an all dem beteiligt ist.

Die vielen schönen Worte, die ich lese. Ich denke: «Oh, was für schöne Worte! Hoffentlich wird man sie auch drüben in Norwegen lesen.»

Aber das bin nicht *ich*. Ich bin die, die sich nach ihrem Kind sehnt, nach den Menschen, die sie liebt, nach ihrem Heim.

Ich bin die, die sich Sorgen darüber macht, was nach der Premiere geschehen wird. Ob sie in Zukunft auch weiterhin Arbeit bekommen wird. Ob sie eine schlechte Mutter ist.

Der Geschmack des Erfolgs hält nur einen Tag an. Er erleichtert, wenn man ihn nach einer Periode intensiver Arbeit spürt. Er tut gut. Aber jetzt ist der Mißerfolg viel näher, weil nach dem Erfolg nur ein noch größerer Erfolg kommen kann – oder ein Mißerfolg.

Ich möchte in meiner Arbeit etwas Allgemein-Menschliches ausdrücken – etwas, womit jeder sich identifizieren kann, was jeden erkennen läßt, daß auch er die Möglichkeit hat, zu etwas zu «gehören». Und daß man sich danach sehnen kann. Damit auch diejenigen, die immer abseits zu stehen meinten, begreifen können – damit wir sie zusammen erfahren. Die Sehnsucht.

Szenen einer Ehe war eine Chance für mich, meine Mitmenschen zu erreichen, denn so viele Leute haben sich darin wiedererkannt – und sei es auch nur kurz.

Der Film handelt von Kommunikation, vom Leben mit einem anderen Menschen, davon, den anderen so zu sehen, wie er wirklich ist, nicht die Maske, die sich für den wahren Menschen ausgibt.

Keine zwischenmenschliche Beziehung ist vollkommen.

Keine Geigen spielen, wenn mich jemand küßt, den ich liebe. Hollywoods Happy-End ist ein künstliches Produkt, das im wirklichen Leben nie seinesgleichen findet. Eine Traumwelt, die trügerisch ist, weil sie die Leute dazu verführt, immer neuen Wunschvorstellungen nachzujagen.

Im felsenfesten Glauben, sie hätten diesmal «den Richtigen» gefunden.

Nach der Scheidung entdecken Marianne und Johan Bande, die viel stärker sind als die Heiratsurkunde. Sie wissen, daß sie auf undefinierbare Weise zusammengehören, weil sie dadurch, daß jeder sich vom anderen frei machte, etwas über sich gelernt haben – sie kennen sich selbst ein bißchen besser.

Sie sind nicht vollkommen. Ihre Freundschaft ist keine vollkommene Freundschaft. Sie haben viele Wunden. Aber sie haben überlebt.

Und sich wiedergefunden, als sie schon dachten, alles sei vorbei.

Marianne grübelt ständig über die Liebe, ist beunruhigt, weil ihr Gefühl nicht dem entspricht, was sie ihrer Meinung nach empfinden sollte.

«Was ist Liebe? Ist das, was ich fühle, Liebe?»

Das Ende des Films liefert die Antwort:

Die Zärtlichkeit zwischen den beiden – daß sie zueinander gefunden haben.

In einem einfachen Glück.

Das ist Liebe. Ihre Art von Liebe.

Der Rest ist Einbildung.

Ich erinnere mich an Kristina und Karl Oskar in *Die Auswanderer*. Sie sprachen nie von ihren Gefühlen. Ich glaube auch nicht, daß sie viel darüber nachdachten. Als Kristina aber Tausende von Kilometern fern der Heimat im Sterben liegt, setzt Oskar sich auf den Rand ihres Bettes, hält ihre Hand und sagt ganz leise und aus tiefer Gewißheit: «Du und ich sind die besten Freunde.»

Schöner kann man es nicht sagen.

Nora wird drei Wochen lang in Philadelphia gespielt, ehe das Stück an den Broadway kommt. Wir proben tagsüber und haben abends Vorstellung.

Ich möchte, daß das Publikum Noras Maske, die Art,

wie sie mit ihrer Umwelt spricht, durchschaut.

Ich möchte, daß man sieht, wie die Puppe – auf die der Originaltitel «Ein Puppenheim» anspielt – tanzt.

Einige Schauspieler arbeiten, indem sie gefühlsmäßig die Einzelheiten einer Figur zu erfassen suchen. Für mich liegt die Herausforderung vielmehr darin, daß man imstande ist, die Wirklichkeit des Augenblicks darzustellen. Die Freude, die ich dann spüre, ähnelt dem Gefühl, das ich beim Schreiben habe. Genauso gestalte ich eine Rolle: Ich *schreibe* eine Figur. Ich versuche, auf der Bühne alles das auszudrücken, was ich von ihr weiß. In diesem Moment kommt die Schauspielerin dem Autor am nächsten. Was ich auf der Bühne tue, kann nicht allein auf meinen *Gefühlen* beruhen, weil ich dann zwar an einem Abend fabelhaft sein könnte, doch, da alles nur Empfindung war, später nicht mehr wüßte, was mich lachen und weinen ließ, und es bei der nächsten Vorstellung auch nicht mehr reproduzieren könnte.

Ich muß *wissen*, was ich mit Nora tue. Sozusagen hinter ihr stehen – sie vorstellen: Kennen Sie diese Frau?

Wir wohnen in einem so düsteren und trostlosen Gemäuer. Ich fürchte mich nachts. Schlafe bei eingeschaltetem Licht. Höre dauernd Geräusche, die ich nicht identifizieren kann. Sonderbar und bedrohlich aussehende Leute lungern draußen auf den Straßen herum.

Wir sitzen in einem Hotelzimmer. Ich freue mich jedesmal, wenn die Kollegen nach einer Vorstellung zusammenkommen. Eines der Mädchen geht in ihr Zimmer, um etwas zu holen. Sie kommt nicht zurück. Wir finden sie nackt auf ihrem Bett, gefesselt, geknebelt und vergewaltigt. Ein Mann hatte sich in ihrem Badezimmer hinter dem Vorhang der Dusche versteckt. Zog ihn beiseite – stand da – unbekleidet, eine schwarze Kapuze über dem Kopf, ein Brotmesser in der Hand.

Ich helfe ihr, Pullover und Hosen anzuziehen. Die Polizisten warten im Flur. Sie wird gleich verhört und zur Untersuchung ins Krankenhaus gebracht werden. Eine Frau muß erst beweisen, daß sie vergewaltigt worden ist, bevor die Beschuldigung ernst genommen wird.

Das Messer liegt auf dem Boden, wie auch seine Maske, und der Knebel, der aus ihrem zerrissenen Kopfkissenbezug besteht, hängt feucht um ihren Hals. Aber diese Indizien sind ungenügend.

Sie weint nicht. Aber ich werde ihre Augen nie vergessen – sie sprechen eine Sprache, die ich nicht kenne.

In dieser Nacht schlafen wir alle zu mehreren – in meinem Zimmer sind wir zu fünft. Am nächsten Tag ziehen wir in ein anderes Hotel.

Das Theater in New York hat mir eine Sekretärin, Debbie, zugeteilt. Sie ist halb so groß wie ich, aber zäh und energiegeladen, und hält mir Leute fern, die ich nicht sehen möchte.

Der Friseur heißt Roy. Eines Tages komme ich in meine Garderobe, die bisher kalt und unpersönlich war, und finde sie mit Vorlegern und Kissen in geblümten Bezügen ausgestattet. Ein Schminkmantel, den er aus dem gleichen Stoff für mich gemacht hat, hängt über dem Stuhl.

«Das ist jetzt dein Zimmer», sagt er. «Du kannst alles mitnehmen in deine zukünftigen Garderoben – und dann wird es immer dasselbe Zimmer sein.»

Mein Zimmer.

Eine Zeitlang steht ein bewaffneter Polizist davor.

Nachts hält ein Leibwächter in meinem Wohnzimmer Wache. Kreuz und quer durch die Wohnung sind dünne Drähte gespannt – eine Alarmanlage, die ausgelöst wird, sobald ein leichter Luftzug zwei Drähte in Kontakt bringt. Wir wagen es nicht, die Fenster zu öffnen. Trotzdem gibt es oft falschen Alarm. Dann stürzen vier große Männer mit gezogenen Pistolen herein. Zeitweilig komme ich nachts nur zu wenigen Stunden Schlaf.

Linn, die zu Besuch da ist, sagt, sie werde nie wieder nach Amerika kommen.

Mein Leben lang habe ich gelesen, daß eine Mutter zu Haus und bei ihrem Kind zu sein hat.

Mein Schuldgefühl sitzt tief. Das schlechte Gewissen gehört zu meinem täglichen Leben. Ich fürchte, daß ich Linn gegenüber ein Unrecht begehe.

Gleichzeitig glaube ich aber, daß sie gerade deshalb mehr von mir bekommt, weil ich in einem Beruf glücklich bin, den ich liebe und der mir soviel Anregung gibt.

Ingmar ist in New York. Er wirkt hier sehr fehl am Platz. Wenn man ihn so kennt wie ich und ihn unbemerkt beobachtet, scheint er so unendlich verwundbar zu sein.

Mitten auf der Straße, im brausenden Verkehr und – wenn man so will – umgeben von bedrohlichen Wolkenkratzern. Weit entfernt von der Ruhe und Routine Fårös mit seinen friedlichen Spaziergängen.

Er rührt immer die Mutter in mir an. Genau wie damals, als ich fünfundzwanzig war und fast nichts über ihn wußte.

Goethe schrieb einmal: «Gegen große Vorzüge eines anderen gibt es kein Rettungsmittel als die Liebe.»

Bei mir ist das nicht so:

Ingmar im Foyer des Hotels Pierre, ein verlorenes Lächeln um den Mund, während er in den Fahrstuhl komplimentiert wird.

Linn, die meine Hand ergreift und mich mit einem Blick anfleht, ihr zu sagen, was sie tun soll.

Ein Mann, den ich liebe, der mit erstickter Stimme spricht, weil er die Tränen zurückhält, die ich nicht sehen soll.

Mama, die voller Stolz in eine Premiere rauscht und doch so verletzbar ist, weil sie nicht begreifen kann, daß nicht jedermann ihre Begeisterung für die Arbeit ihrer Tochter teilt.

Meine beste Freundin, die einen langen, belanglosen Brief schreibt und erst in einem Nachsatz beiläufig erwähnt, der Mann, mit dem sie seit vielen Jahren zusammenlebte, habe plötzlich eine andere geheiratet.

Lauter Bilder der von mir geliebten Menschen – wenn ich sie umarmen, beschützen, streicheln, ihnen danken möchte, weil sie so schrecklich verwundbar sind –, *diese* Bilder wecken meine Liebe.

Es gibt Frauen, die bestimmt glücklicher wären, wenn sie allein lebten, doch sie meinen, sie müßten jemanden besitzen, um sich selbst aufzuwerten.

Leben sie aber allein, so leiden sie unter Einsamkeit, weil die Gesellschaft auf sie herabblickt, als spielten sie eine schlechte Rolle – sie haben keinen Partner gefunden. Sie leben nicht in einer «Zweierbeziehung».

Ich glaube, es ist manchmal leichter, aufzuwachen und mich allein zu fühlen, wenn ich es tatsächlich *bin*, als mit jemandem zusammen aufzuwachen und einsam zu sein.

Ich hoffe, daß zwei Menschen gemeinsam, Seite an Seite, wachsen und sich Freude schenken können. Ohne daß der eine unterdrückt werden muß, damit der andere stark bleiben kann.

Reifen besteht vielleicht auch darin, den anderen *sein* zu lassen.

Mich selbst das sein zu lassen, was ich bin.

«Aber niemand opfert derjenigen, die er liebt, seine *Ehre*», sagt Helmer.

Und Nora antwortet: «Das haben Millionen von Frauen getan.»

Ich frage Sam Waterston, der den Helmer spielt, ob er bereit wäre, seinen Beruf einer Frau zuliebe aufzugeben, wenn dies aus irgendeinem Grund wesentlich für den Fortbestand ihrer Beziehung wäre. Sam glaubt, er würde es nicht tun, und fragt mich, ob ich es fertigbrächte.

«Ja, ich könnte es.» Ich denke darüber nach. «Ich glaube, viele Frauen tun es, weil wir so fest daran glauben, daß Liebe wichtig ist.»

«Aber schätzt ihr euch denn nicht höher ein?»

«Das tun wir ja gerade. Wir können unseren Beruf aufgeben, weil wir das hoch einschätzen, was wir *sind*.»

In einem Zustand der Ungewißheit zu leben, ist schwer und deprimierend. Aber jetzt, wo ich es als Teil meines Lebens akzeptiere, ist es leichter. *Damit* zu leben, nicht trotzdem zu leben.

Die New Yorker Kritiker verleihen mir den Preis der besten Schauspielerin des Jahres. Barbara, die die Frau Linde spielt, borgt mir ein Kleid. (Ich verließ Norwegen überstürzt und packte lauter falsche Sache ein.)

Ihr Kleid duftet schwach nach Weihrauch. Sie trinkt nicht, ißt rein vegetarisch, meditiert oft und lange und nimmt das Leben und ihren Platz darin sehr ernst. (Zwei Monate später wird sie auf der Straße umgebracht. Der Mörder ist unbekannt, ebenso das Motiv.)

Erland Josephson ist aus Schweden gekommen, um einen Preis für Ingmar entgegenzunehmen.

Zusammen mit Freunden besichtigen wir die Stadt. Erland ist noch nie in New York gewesen.

Ich trage zum erstenmal seit vielen Jahren wieder einen Hut. Und alles, was mir an dem Abend widerfährt, erlebe ich aus einer gewissen Distanz, als wäre ich nicht ich, sondern jemand mit einer komischen Kopfbedeckung und mit Barbaras Kleid.

Ich habe Erfolg, und die Dinge um mich nehmen Ausmaße an, die in keinem Verhältnis mehr zu mir stehen.

Ein Leibwächter sitzt in meinem Wohnzimmer und zeigt jedem, der fragt, seinen Revolver.

Das Theater ist jeden Abend brechend voll. Ich versuche, Nora zu spielen, so als wäre Liv nicht auch noch mit einer Menge anderer Dinge beschäftigt.

Wenn ich als Kind Theater spielte, gab es für mich nur eine einzige Wirklichkeit: die Freude, auf der Bühne zu stehen. Das war Glück. Es war mir gleichgültig, ob ich meine Erfahrung mit anderen teilte oder nicht.

Ich malte Bilder – sie widerfuhren mir einfach –, kam

aber nie auf den Gedanken, Menschen und Bäume und Häuser müßten auf eine bestimmte Weise dargestellt werden, wenn andere sie erkennen und mögen sollten.

Das Bild war ich. Die Rolle war ich.

Als erwachsene Schauspielerin möchte ich: daß Nora von Nora gespielt wird. In den besten Augenblicken geschieht das auch. Das schönste Kompliment, das man mir in den Vereinigten Staaten machte, kam von einem Schriftsteller, der eine Zen-Weisheit zitierte: «Sie haben den Stoff den Stoff weben lassen.»

Sam und ich haben sehr guten Kontakt auf der Bühne. Manchmal spüren wir, daß das Publikum daran teilhat und mitspielt: gemeinsam beobachten wir Nora und Helmer. Es bestehen keine Schranken mehr, und es ist ein gegenseitiges Geben und Nehmen.

Die Begrenzung: nur sich als Werkzeug, als Ausdrucksmittel zu haben.

Für mich ist es unmöglich und uninteressant, von Rolle zu Rolle eine Veränderung der Persönlichkcit durchzumachen.

Es gibt Tage, an denen bei einer Probe oder Vorstellung unbekannte Geheimnisse in mir hochkommen, welche durch die Gestaltung einer Rolle, den Dialog mit einer erfundenen Person ausgelöst werden. Die Hochstimmung eines winzigen Fortschritts. Der das Werkzeug verbessert.

Ich bin auf der Bühne, ich bin Nora und entdecke plötzlich, daß sie Leben von Königin Christine geborgt hat, die ich vorher dargestellt habe. Nora macht Bewegungen, die sie noch nicht machte, als ich die Rolle zum erstenmal spielte, hat Nuancen in der Stimme, die ich vorher nicht mit ihr in Verbindung gebracht hätte – die sich erst aus der Wechselbeziehung zwischen mir und der schwedischen Herrscherin ergaben.

Es ist, als würde jede neue Rolle zu einer Summe der vorhergehenden.

Ich liebe Nora. Sie ist wundervoll, und Ibsen hat sie perfekt gezeichnet.

Ihr Bedürfnis, akzeptiert zu werden. Ihre Furcht, sich so zu zeigen, wie sie wirklich ist.

Eine Frau, die etwas sagt und etwas ganz anderes meint. Die jedermanns Freund sein, allen gefallen möchte. Die in dem Moment, in dem sie spürt, sie könnte vielleicht etwas Verletzendes gesagt haben, ausruft: «Du darfst mir nicht böse sein!» Die ständig ihr Doppelleben führt und mit Kraft und Entschlossenheit finanzielle Transaktionen erledigt (für eine Frau jener Zeit sehr ungewöhnlich), um das Leben ihres Mannes zu retten.

Diese Frau, die die Menschen ihrer Umgebung benutzt und manipuliert, während sie ihnen doch gleichzeitig helfen und sie lieben möchte, weigert sich im entscheidenden Augenblick, etwas zu tun, das sie als moralisch verwerflich empfindet. Als Dr. Rank ihr seine Liebe gesteht und ihr das Geld anbietet, das sie so dringend benötigt, liegt der Gedanke, diese Situation auszunutzen, jenseits ihres Begriffsvermögens.

Wie Helmer gehört auch Nora zu den Opfern der Gesellschaft. Sie benimmt sich so, wie man es von einer Frau, einer Gattin, einem Puppenkind erwartet.

Sie spielt ihre Rolle genauso, wie Helmer die seine

spielt. Keiner der beiden gibt dem anderen eine Chance, weil jeder sich fortwährend nur auf die Rolle des anderen ausrichtet.

Als Nora schließlich die Augen aufgehen, versteht sie auch, daß sich ihr Zorn über all das, was zwischen ihnen falsch ist, genauso gegen sich selbst wie gegen ihn richtet. Sie hatte die gleiche Verantwortung wie er. Sie hofft, diese Wandlung würde auch in ihm stattfinden – nicht ihretwegen, sondern um seiner selbst willen.

Nicht weil er von einer neuen Nora bedroht wird, die eine ihm unbegreifliche Stärke zeigt und ihm Angst macht, sondern weil er in ihr einen neuen Menschen entdeckt hat, dessen Motive er vielleicht zu begreifen lernt.

Ich glaube, Noras schönste Liebeserklärung und ihr schönster Liebesbeweis bestehen darin, daß sie ihren Mann verläßt.

Sie sagt allem Lebewohl, was vertraut und sicher ist. Sie geht nicht durch die Tür, um einen anderen zu treffen, mit dem und für den sie leben kann; sie verläßt das Haus unsicherer, als sie es sich jemals hätte vorstellen können. Doch sie hofft herauszufinden, wer sie ist und warum sie ist.

Darin liegt eine große Freiheit: im Wissen, daß ich mit meinem gegenwärtigen Leben brechen muß. Ich weiß nicht wofür. Für mich. Um mehr zu sein, als ich jetzt bin.

Ungefähr zehnmal ruft Nora aus: «Oh, wie leicht und glücklich ich mich fühle.» Ich beschließe, sie das ohne Heiterkeit sagen zu lassen – und beim letztenmal voll Kummer, Angst und Sehnsucht. Ein Kritiker erklärt, ich versuchte Ibsen zu helfen, damit der Abschied im letzten Akt kein so großer Schock würde. Aber ich bin sicher, daß Ibsen sich darüber klar war, was er tat. Müssen wir bei jeder

Gelegenheit betonen, wie glücklich wir sind, wenn wir es wirklich sind?

Nora ist stark, sogar im ersten Akt: Man denke nur daran, mit welcher Freude sie ihrer Freundin von den langen Abenden erzählt, an denen sie sich einschließt und arbeitet.

Nora ist einsam. Als es an der Tür läutet, sagt sie zu Christine: «Nein, bleib nur, zu mir kommt niemand.»

In den ersten beiden Akten ist Nora nicht nur die Lerche und das Eichkätzchen, und im letzten ist sie auch nicht nur abgeklärte Weisheit und weibliche Kraft.

Für mich ist Helmers und Noras letzter Auftritt keine Bravournummer für die Titelheldin. Das wäre zu leicht. So gehen wir nicht von jemandem, den wir geliebt haben und wohl noch lieben. Nicht mit Fanfarenstößen und Trommelwirbel verlassen wir das Vertraute und gehen hinaus in eine neue und fremde Welt. So wenig wissend.

Es ist ein kleines Mädchen, das die Tür hinter sich ins Schloß fallen läßt. Ein kleines Mädchen, das dabei ist, erwachsen zu werden.

Auf der Bühne ist das, was ich spiele, für mich Wirklichkeit. Auf die gleiche Art, wie meine Wirklichkeit Theaterspielen ist. Beides verbindet sich zu einem Ganzen.

Nora sagt: «Vor allem bin ich ein Mensch...»

Ich bin eine Frau – eine alleinstehende berufstätige Frau mit einem Kind.

In meinem Leben habe ich bekommen, was immer sich ein menschliches Wesen erhoffen kann – und vieles mehr.

Ich habe geliebt und bin geliebt worden. Ich habe Schmerzen und Kummer gekannt, aber auch ein Glück, das viel größer war, als ich es mir als junges Mädchen jemals erträumt hatte.

Ich habe nie Hunger gelitten, mußte höchstens zu bestimmten Zeiten mein Geld zählen, um zu sehen, ob ich mir Butter statt Margarine leisten konnte.

Manchmal bin ich glücklich und wache morgens auf und lächle einem Mann zu, bei dem ich genug Frieden empfinde, um zu lieben.

Ich lebe in einem fortwährenden Zustand des Wandels, und doch bin ich in meinem tiefsten Inneren «ein junges Mädchen, das nicht sterben will».

Wir, die wir in diesem Augenblick leben, sind nur ein unendlich kleiner Teil von etwas, das seit Ewigkeiten existiert und auch dann noch andauern wird, wenn es längst nichts mehr gibt, das von der Existenz der Erde berichten könnte.

Trotzdem müssen wir fühlen und glauben, daß wir alles sind.

Das ist unsere Verantwortung – nicht nur uns selbst gegenüber, sondern allem und jedem gegenüber, mit dem wir unsere Zeit auf Erden teilen.

Was ist Wandlung?

Ist es etwas, das in mir geschieht? Oder etwas, das ich in anderen erfahre?

Ist es vielleicht ein noch stärkerer, bewußter Drang, und wenn ja, wohin führt er?

Worum ringe ich?

Das bestmögliche menschliche Wesen zu werden? Oder die beste Künstlerin?

Was möchte ich wirklich mit dem tun, was ich erreicht habe?

Was werde ich mit meiner Wandlung machen?

Vielleicht ist es gar nicht so wichtig, das zu wissen.

Vielleicht ist es gar nicht so wichtig, ein Ziel zu erreichen.

Am 20. April 1975 spiele ich die Nora in New York zum letztenmal. Nach zwei Sonntagsvorstellungen nehme ich das Flugzeug nach Schweden, um mit Ingmar zu arbeiten.

«VON ANGESICHT ZU ANGESICHT» ist in vieler Hinsicht außergewöhnlich. Der Film handelt vom Tod. Von der Einsamkeit. Der Angst. Er erzählt die Geschichte einer Frau in meinen Jahren, die bald den Scheideweg erreichen wird, wo der Mensch mittleren Alters von der jungen Frau Abschied nimmt. Die Angst ist zu einem Bestandteil ihres täglichen Lebens geworden, aber sie ist nicht imstande, sie zu akzeptieren. Sie kann nicht mit ihr leben und beschließt, sich das Leben zu nehmen.

Die Kamera richtet sich in kurzen Szenen auf ihr Berufsleben, ihr Privatleben, ihren Selbstmordversuch; im letzten Teil begleiten wir sie ins Krankenhaus, wo sie sich durch Träume und durch Geständnisse gegenüber einem guten Freund mit sich selbst konfrontiert.

Zwischen den Aufnahmen sitze ich mit einem gelben Notizblock da und schreibe auf, was ich sehe und höre. Als ich es später durchlese, begreife ich, daß eine Reihe dieser Notizen etwas offenbaren, das für mich wichtig ist.

1. Tag. Wir mieten zwei Studios im Schwedischen Filminstitut. In dem einen ist die Wohnung aufgebaut, in der Jenny ihre Kindheit verbrachte und in der jetzt nur noch ihre Großeltern leben.

Ich bin Jenny.

Diese Dekoration ist ganz in Grüntönen gehalten. Die Zimmer sind vollgestopft mit Nippes und Antiquitäten und auf jene überladene, Geborgenheit ausstrahlende Art reizvoll, die für viele solche Wohnungen typisch ist. Als Jenny in ihrem Traum in die Vergangenheit zurückversetzt wird, hat die Dekoration durch Beleuchtungseffekte, Abschwächen der Farben und eine kaum merkliche Neuanordnung der Möbel einen anderen Charakter bekommen.

Im zweiten Studio steht Jennys Krankenbett, in einem kleinen, weißen, unpersönlichen Raum. Dort ist auch ihre Praxis, und dort sind die Flure, durch die sie läuft, wenn sie sich in jenem Niemandsland zwischen Leben und Tod befindet.

Wenn wir nicht drehen, halten wir uns in Großvaters Bibliothek auf: Ingmar macht es sich auf einem braunen Ledersofa bequem; er trägt die gleichen Hemden und Pullover und Hosen und Mokassins, deren Stil sich in all den Jahren, die ich ihn kenne, nicht geändert hat. Wenn die alten abgetragen sind, werden sie einfach durch Kopien ersetzt.

Gewöhnlich kauere ich mich mit meinem Tonbandgerät in einen riesigen Sessel. Ich gehe selten ohne das Gerät ins Studio. Ich liebe es, mir ein stilles Eckchen zu suchen und ganz, ganz leise Musik zu hören. Bei diesem Film ist es meist Albinoni.

Wir sprechen davon, wir selbst zu sein, und ich frage Ingmar, ob er irgend jemand kennt, der wirklich *lebt*, was er *ist*.

Ohne einen Sekundenbruchteil zu zögern, antwortet er: «Ja, ich.»

Diese offensichtliche Übertreibung macht mich sprachlos.

Plötzlich sehe ich ein Bild vor mir. Ingmar und ich vor langer Zeit auf dem Flughafen von Kopenhagen. Er haßt Reisen und ist ängstlich – all die Menschen, all der Lärm. Er gerät in Panik; es treibt ihn, sofort wieder heimzufahren, zurück in die Geborgenheit von Fårö. Der Flug hat Verspätung, und er fährt mit dem Lift nach unten zur Herrentoilette. Ich warte ganz in der Nähe an einem Tisch. Nach einer Weile öffnet sich die Lifttür, und Ingmar kommt heraus – er hat seine kleine Mütze auf, und er zeigt ein kaum merkliches, stolzes Lächeln. Hier ist jemand, der seine Phobie überwunden hat, der einen unbekannten Fahrstuhl, eine unbekannte Toilette betreten und es ganz allein wieder zurückgeschafft hat. Er nähert sich, den Rücken nur ganz leicht gebeugt. Das kleine Lächeln ist verschwunden, aber der angstvolle Ausdruck in den Augen ist nicht mehr so zwingend, und ich weiß, daß die Reise weitergehen wird.

Linn und ihr Halbbruder Daniel kommen fast jeden Tag ins Studio. Ingmar gerät in Konflikt zwischen seiner Rolle als Vater und der des Regisseurs. Manchmal verliert er bei einer dieser Rollen den Mut, weil er meint, die andere nicht schaffen zu können.

Sivan, unsere neue Hündin, liegt in meiner Garderobe. Sie ist ein Apportierhund mit goldfarbenem Fell, unbändig und undiszipliniert, und frißt alle Schuhe und Socken, die sie findet. Knabbert meine Kostüme an, macht den Fußboden naß, wenn sie Ingmar begrüßt – und reißt meine Briefe in Fetzen.

4. Tag. Vertrauen ist bei der Filmarbeit wichtig. Ein Schauspieler, der sich bei einem Regisseur, der ihm vertraut, sicher und geborgen fühlt, wird aus dieser beruflichen Partnerschaft viel mehr herausholen, als wenn eine solche Beziehung nicht existiert.

Ingmar spricht davon, wie wichtig es für ihn als Regisseur ist, sich sicher und geborgen zu fühlen. Wie schnell er ängstlich wird, wenn er spürt, daß er den Kontakt mit dem Schauspieler verliert – wenn sie nicht mehr dieselbe Sprache sprechen, kein Gespür mehr füreinander haben. Dann wird es brenzlig. In solchen Augenblicken kann man einen seiner berühmten Wutanfälle erleben.

Die Rolle, die ich jetzt spiele, ist für mich geschrieben worden. Darin liegt meine und auch Ingmars Sicherheit. Wir spüren beide, daß ich mich mit Jenny identifizieren kann. Daß ich Jenny in Liv verwandeln kann.

Aufbauen kann auf meiner Erfahrung, auf der von anderen – auf allem was ich in sechsunddreißig Jahren gehört und gesehen habe.

An dem Tag, als Ingmar mir das Drehbuch gibt, gibt er mir auch das Recht zu glauben, von nun an würde *ich* die Rolle am besten verstehen. Sie wird genauso *meine* Wirklichkeit, wie sie die Wirklichkeit Ingmars ist. Mit seiner Hilfe, seinem Genie, seiner Sensibilität beim Zuhören und Sehen wird mein Wissen um sie von der Kamera eingefangen werden, das weiß ich.

Mit Ingmar zu filmen sind Strecken des Glücks, bei denen einem alles wirklich vorkommt.

5. Tag. Die Zimmer sind grün. Stühle, Wände, Pflanzen, Gegenstände, alles in irgendeinem Grünton. Mit ein paar Scheinwerfern, die Licht spenden und kontrastierende Schatten schaffen, läßt Sven Nyquist, der Kameramann, eine Atmosphäre vergangener Tage erstehen.

Gunnar Björnstrand und Aino Taube spielen meine Großeltern. Ich beobachte, wie sie eine Szene gestalten.

Gunnar schlurft in Hausschuhen herum, die ihm zu groß sind. Aino hat Socken an. Es ist Nacht, und Großvater ist aufgestanden, um die Uhr aufzuziehen. Er fürchtet sich. Er hat Angst zu sterben. Er weiß, daß er bald sterben *muß*, und betrachtet die stehengebliebene Uhr als Omen. Aino tröstet ihn, umarmt ihn, schilt ihn ein wenig und scherzt mit ihm.

Ich denke an meine eigene Großmutter, die schon vor so langer Zeit gestorben ist und die mir immer noch fehlt.

Ich denke auch an meinen eigenen Tod. Jetzt, scheint mir, ist er mir viel näher als noch vor Jahren.

Ich glaube an Gott und weiß, daß es weder Tod noch Angst geben würde, wenn ich wirklich an das ewige Leben glauben könnte.

Aber das ist eine geistige Erfahrung, die noch nicht meine eigene ist. Ringsum sehe ich den Beweis dafür, daß es keinen Tod gibt. Nach dem Winter kommt der Frühling, aber wenn ich kein Teil davon bin – wie soll ich fähig sein, ihn als Leben zu erfahren.

Meine Angst vor dem Tod begrenzt mich. Liefert mich ihm aus.

6. Tag. Es ist Sonntag, und ich liege auf dem mit Rosen und Äpfeln bedruckten und spitzengesäumten Laken, das ich in Amerika gekauft habe. Unten im Garten spielt Linn mit ihrem Hund. Es ist erst 8 Uhr morgens, sie lacht und ruft, und ich weiß, daß die Nachbarn versuchen zu schlafen. Aber ich unternehme nichts; sie lassen auch ihr Radio und ihren Fernseher laufen, wenn *ich* schlafen möchte.

Ich liege auf meinen Rosen ohne Dornen und arbeite: lerne einen langen Monolog, in dem Jenny ihrem Mann sagt, daß sie erwägt, Selbstmord zu begehen.

Linn kommt herein und berichtet mir, was das Hündchen gelernt hat, und ich höre ihre Stimme sagen, daß es zum erstenmal von sich aus die Treppe hochgeklettert ist, während Jenny mit matter Stimme in mir sagt, bald werde sie hundert Schlaftabletten nehmen und sterben.

Ich weiß, daß ich in ein paar Tagen, wenn ich diese Sätze vor der Kamera spreche, Tränen in den Augen haben werde, weil ich mich dann plötzlich an Linn erinnern werde, wie sie jetzt vor mir steht: im Turnzeug und mit einem Milchbart um den Mund, begierig darauf, Kontakt zu mir zu bekommen, ohne im geringsten zu ahnen, daß ich fast nichts von dem höre, was sie erzählt.

8. Tag. Manchmal trägt Ingmar einen blauen und einen gelben Strumpf – gewöhnlich am ersten Drehtag. Wir sind alle überzeugt, daß dies unserer Arbeit Glück bringt.

Ingmar ißt allein. Sein Mittagessen besteht aus einem hartgekochten Ei, einer Scheibe Toast mit Erdbeermarmelade und einer Schüssel Sauermilch. Auf einem kleinen Tisch im Studio steht ein Reservevorrat von Keksen, Schokolade und Mineralwasser.

Er und ich gehen den Flur auf und ab und diskutieren über Jennys Depressionen. Die niemand in ihrer Umgebung erkennt, bis es zu spät ist.

Ihre Erlebnisfähigkeit hat sich verengt; der Kontrast zwischen den Graden der Intensität, mit denen sie früher auf Musik, Schönheit, andere Menschen reagierte, und dem, was sie heute fühlt, hat sich verschärft.

Jenny war geschickt und klug. Sie hatte es fertiggebracht, eine Rolle zu leben, hinter einer Maske zu leben, den Schmerz zu verbergen. Manchmal nahm er körperliche Formen an, wogegen sie in der Apotheke Pillen und Salben kaufte. Meist aber hatte sie sich voll unter Kontrolle gehabt.

Sie hatte versucht, die Augen vor der Angst zu schließen, und das bis zu dem Augenblick auch geschafft, in dem sie mit der Welt ihrer Kindheit konfrontiert wird.

Da bricht das Gebäude zusammen – da funktionieren ihre Abwehrmechanismen nicht mehr.

In diesen Schlupfwinkeln der Kindheit gibt es keine rationalen Erklärungen, wenn die Angst ihr folgt. Die Bedrohung existiert, wo Mittel, sie zu bekämpfen, nicht existieren.

Ich finde es logisch, daß Jenny sich über ihren Wunsch zu sterben erst klar wird, als sie heimfährt, um ihre Großeltern zu besuchen.

9. Tag. Ich sehe mich selbst wie ein Sieb. Jedermanns Empfindungen fließen durch mich hindurch, und ich bin nie fähig, sie zurückzuhalten.

Am Abend werde ich leer beiseite gestellt – nur um am nächsten Tag wieder mit neuen Empfindungen überschwemmt zu werden.

Ich bin kindisch. Bade in Seligkeit, wenn ich gelobt werde. «Ohne dich hätte ich diesen Film nicht machen können», sagt Ingmar, als wir eine Szene abgedreht haben. «Zumindest wäre er völlig anders geworden.»

Es gibt viel in ihm, das ich nicht kenne – obgleich ich glaube, daß ich das meiste spüren kann.

Aber was er *möchte*, fühle ich genau – darin erkenne ich mich selbst in ihm.

Das ist mein Glück als Schauspielerin.

Seine Frauenfiguren, die ich immer als real betrachte, werden ein natürlicher Bestandteil von mir. Ohne daß ich glaubte, sie würden nach meinem Vorbild geschaffen. Selbst wenn er mir eine Rolle gibt, die mir fremd vorkommt, weiß ich, daß er beim Schreiben davon überzeugt war, ich würde die Figur erfassen – ich hätte einen Erfahrungsschatz, der benutzt werden könne, wenn ihre Erfahrungen entfaltet werden sollen.

Manchmal überraschen wir uns gegenseitig. Das ist das Beste von allem.

Jeden Tag bin ich eine schamlose und gierige Sammlerin von Lächeln, Emotionen und Expressionen – meiner eigenen und der, die ich bei anderen sehe. Zur späteren Verwendung bei der Arbeit.

11. Tag. Es ist ein zu langer Abend gewesen. Jedenfalls für mich, da ich um halb sechs aufstehen muß. Cilla, die Maskenbildnerin, tröpfelt Flüssigkeit in meine Augen – ein blaues Wasser, das selbst die rötesten Augen in reine Seen verwandelt.

Gestern abend trug ich ein tief ausgeschnittenes Kleid und eine kurze Perücke, was beides nicht zu meiner gewöhnlichen Garderobe gehört. Zum erstenmal seit undenklichen Zeiten sagten die Leute: «Sie sind doch viel zu jung, um sich daran zu erinnern...»

Heute sprechen wir, angeregt durch den Film, vom Tod. Aino hat innerhalb kurzer Zeit ihren Mann und ihre Mutter verloren. Sie erzählt uns von der Mutter, die während ihrer Krankheit nie um sich selbst Angst hatte, sondern nur traurig und irgendwie zornig war, weil sie ihre Tochter verlassen mußte. Ainos Mann starb nach einem langen und schmerzhaften Leiden. In den letzten Monaten band sie nachts ihr Handgelenk immer an seines – damit sie sofort merkte, wenn er wach wurde oder unruhig schlief.

Auch das ist Liebe.

Wir sprechen über unsere Angst vor dem Tod. In kleineren Gemeinden ist er als Bestandteil des täglichen Lebens deutlicher sichtbar. Ein Sarg wird durch schmale Gassen getragen, und die Dorfbewohner gehen hinterher. Eine nettere und persönlichere Art, Lebewohl zu sagen. Menschen sind dem nahe, der sie verlassen hat, nicht Autos.

In der heutigen Szene wacht Jenny nach zwei Tagen tiefen Schlafs auf. Sie hat geschlafen und geschlafen, ist vor ihrer Qual geflohen, so gut sie konnte. Vor ein paar Jahren hätte ich diese Szene noch nicht spielen können. Ich hätte versucht, zuviel zu machen, hätte sie kompliziert, wäre verkrampft und nervös gewesen. Nun scherze ich in den Drehpausen und konzentriere mich wieder mit den anderen, wenn Ingmar sagt: «Bitte!»

Kein Studio der Welt ist so still wie seines, wenn die rote Lampe für «Achtung, Aufnahme!» aufleuchtet.

Ich möchte hüpfen und tanzen, als es zu Ende ist und wir einen Kaffee trinken gehen.

Ich bin sehr stolz.

Ich wirke ganz ruhig und diskutiere mit Cilla über Kochrezepte, während es in mir singt: «Ich kann es schaffen! Ich kann es schaffen!»

14. Tag. Heute drehen wir die Selbstmordszene. Ingmar hat Imitationen von Schlaftabletten bestellt. Der Fabri-

269

kant versprach, ihr Inhalt würde aus Traubenzucker bestehen. Hundert sind da, eine ganze Flasche voll.

Ich bin fast krank vor Angst, stelle mir vor, der Fabri-
kant hätte sich geirrt und sie enthielten doch die richtige
Substanz.

Im Studio herrscht eine gedrückte Atmosphäre; offensichtlich sind alle nervös. Ingmar gibt mir noch eine allgemeine Regieanweisung und sagt: «Nun wollen wir mal sehen, was passiert.»

«Achtung, Aufnahme!»

Ich weiß nicht, wie ich es machen werde. Ich kann kaum
ein Aspirin nehmen, ohne zu würgen und zu husten, und
jetzt soll ich hundert Tabletten schlucken.

Jenny zupft die Bettdecke zurecht, schüttelt zwei Kissen
auf und legt sie so hin, daß ihr Kopf bequem darauf ruhen
kann, zieht das Rollo herunter, schließt die Tür ab, streicht
die Decke noch einmal glatt, setzt sich auf den Bettrand,
füllt ein Glas mit Mineralwasser, öffnet die Medizinfla-
sche, schüttet zwei, drei Tabletten in ihre Hand, schluckt
sie nicht ohne Mühe. Das nächstemal liegen mehr in der
Handfläche. Sie stopft sie in den Mund, trinkt. Plötzlich
beginnt Jennys Hand so heftig zu zittern, daß das Glas an
meine Zähne schlägt – und während *Jenny* versucht, sich
das Leben zu nehmen, weiß *ich*, wie ihr dabei zumute ist.

Die lange Vorbereitung, die seltsame Stille. Jenny und
ich tun es gemeinsam. Ich erfahre es und stehe gleichzeitig
daneben und beobachte. Ich durchlebe einen Selbstmord.

Zehn, zwanzig Tabletten gleichzeitig schlucke ich mühe-
los hinunter. Jenny wird immer erregter, doch ihre Haltung
bleibt gefaßt. Sie sitzt eine Weile da und betrachtet die
leere Flasche, schüttelt den Kopf, legt sich dann hin und

270

läßt den Kopf auf die Kissen sinken, die sie aufgeschüttelt hat. Eine Zeitlang liegt sie da und starrt zur Decke.

Plötzlich kommt mir in den Sinn, wie richtig es gewesen wäre, wenn sie auf ihre Uhr geschaut, die Stunde ihres Todes festgestellt hätte – und im selben Augenblick, wo ich es denke, tut sie es.

Theater wird es erst, als ich das Gesicht zur Wand drehe und *nicht* sterbe.

Danach fühle ich mich leer. Stelle fest, daß jemand weint.

Nicht nur der Schauspieler – auch der Zuschauer kann in bestimmten Augenblicken am Unwirklichen teilhaben, als wäre es wirklich.

Ingmar ist ruhig und überwältigt und sagt: «Nun, jetzt muß ich wenigstens keinen Selbstmord mehr begehen.»

17. Tag. Ingmar und ich hatten heute einen Zusammenstoß. Sein Gesicht gleicht einer Gewitterwolke, als er mich mit einem Journalisten zum Mittagessen gehen sieht. Er ruft mich zurück und zischt: «Ich habe dich und deine verdammten Reporter so satt, so satt.» Ich zische zurück: «Und ich bin froh, daß du mir nichts mehr befehlen kannst. Daß ich dein Gesicht nicht von morgens bis abends sehen muß – jetzt, wo ich wirklich weiß, wer du bist!»

Wir trennen uns im Zorn. Er geht in sein Büro und zu seiner Sauermilch und ich zu meinem Interview, bei dem ich zum tausendsten Mal erkläre, weshalb es so phantastisch ist, mit Ingmar Bergman zu arbeiten.

Als es vorbei ist, kehre ich in meine Garderobe zurück und platze vor Lachen laut los, weil ich uns beide da auf dem Gang wieder vor mir sehe, uns im Flüsterton anschreiend – während der Reporter, dem die Augen halb aus dem Kopf fallen, zweifellos den Eindruck hat, er erlebe einen Ausschnitt aus einer wundervollen beruflichen Zusammenarbeit. Ich sitze auf dem Sofa, und ich lache und lache und frage mich bereits, was ich Ingmar sagen soll, wenn ich gleich zu den Aufnahmen gehe. Ich werde so tun müssen, als wäre ich ganz unglücklich, mir die «traurigen Augen» borgen, die meine Mutter so gut zu machen versteht. Und während ich mich darauf konzentriere, klopft es, und er kommt herein – und hat genauso gelacht wie ich, über seiner Sauermilch und seiner Erdbeermarmelade.

Wir haben unseren Zorn, lassen aber nie zu, daß er unsere Arbeit stört.

Wir fauchen uns nur ein bißchen an – wenn es nötig ist.

Die Zusammenarbeit zwischen einem Regisseur und einem Schauspieler ist – wenn sie gut sein soll – außerordentlich intensiv, und es liegt sehr häufig ein Hauch von Aggression darüber, die gewöhnlich vom Schauspieler ausgeht.

Wenn man den ganzen Tag von einem Regisseur herumkommandiert wird: geh, steh, rede, sieh hierher, mach jetzt Pause, für heute fertig, dann denkt man manchmal (selbst wenn ein Genie gesprochen hat): «Ich könnte ihn umbringen», oder: «Ich möchte frei sein, mich frei fühlen. Ich hasse ihn.»

Und dann entlädt man seinen Zorn mit viel Dampf, und alle wissen, daß es nichts weiter zu bedeuten hat.

18. Tag. Ingmar spricht von seiner Mutter. Von seiner Angst als Kind, etwas Falsches zu tun. Einmal, als er ertappt wurde, daß er die Hosen naßgemacht hatte, zog sie ihm das rote Kleid seiner Schwester an und schickte ihn so auf die Straße.

Er spricht von den Tagebüchern seiner Mutter, die eine Frau lebendig werden lassen, die keiner von der Familie kannte. Erst nach ihrem Tod erfuhren sie, wie sie wirklich war; durch ihre eigenen Tagebücher.

Als sie nur noch ein paar Tage zu leben hatte und mit einem Schlauch in der Nase dalag, sagte sie plötzlich zu Ingmar: «Meine Mutter hat sich nie etwas aus mir gemacht.» Und sie weinte.

Einmal, als ich in Norwegen gewesen war, holte Ingmar mich am Flughafen ab. «Mama ist heute gestorben», sagte er, als wir im Auto saßen.

Sie hatte den dritten Herzanfall gehabt. Das Spital wollte ihn rufen, aber sie sagte: «Er hat soviel um die Ohren. Lassen Sie ihn in Ruhe.»

Als eine Krankenschwester schließlich doch anrief, war es zu spät. Sie war tot, als er an ihr Bett trat.

Ihre Fingernägel waren rot; einen Tag vorher sehr sorgfältig lackiert worden.

«Jetzt habe ich niemanden mehr», weinte er und war völlig hilflos.

Ich wußte, daß ich ihn nie verlassen könnte, und irgendwie habe ich es auch nie getan.

20. Tag. Wir haben ein gegenseitiges Verständnis erreicht, doch wir reden nie darüber. Weil dann etwas kaputtgehen könnte. Ich glaube, wir beide haben die gleichen Bedürfnisse. Deshalb kann er mich benutzen. Und ich kann ihn benutzen, weil er mich benutzt. Es gibt mir die Möglichkeit, das zu tun, was ich tun möchte.

21. Tag. Eines der Dinge, die ich an meinem Beruf liebe und die ich gesund finde, ist die Tatsache, daß man sich fortwährend auseinandernehmen muß. Wunden haben keine Gelegenheit zu schwären.

Eine ältere Schauspielerin, die gerade bei uns dreht, erzählt von der Angst, die sie empfindet, seit sie pensioniert ist und am Theater nicht mehr gebraucht wird. Nachts wacht sie schreiend auf. Furchtbare Alpträume zerstören einen Schlaf, der ihr Leben lang gesund gewesen ist.

Was mit einer Rolle geschieht: Sie gewinnt Eigenleben; während ich jetzt dasitze und mich mit meinen Kollegen unterhalte, lebt Jenny in mir. So daß ich auf irgendeine Art sie bin; und ihre Tränen, ihre Angst und ihr Zorn legen das in mir frei, was ich einsetzen werde, um sie darzustellen.

Wir haben einen Gast aus Hollywood – einen klugen und freundlichen Mann, den ich von meinen vielen Amerikaaufenthalten her kenne.

Er ist begeistert von unseren Arbeitsmethoden, die so verschieden von denen sind, die er von den Studios in Los Angeles her gewohnt ist.

Während wir Kaffee trinken, interviewt er Ingmar. Ich sitze daneben, höre zu. Ingmar spricht über die romantische Aura, die gewisse Schauspieler umgibt. Voll Enthusiasmus singt er das Lob einiger, die er nur vom Hörensagen kennt – die zu spät zur Arbeit kommen, aber soviel Charme haben; die ihren Text nicht lernen, aber über ein unglaubliches Charisma verfügen; die ihr Liebesleben ins Studio tragen, was aber in Anbetracht ihrer sensiblen Psychen verständlich ist.

Sie sind so köstlich und aufregend, und man kann einfach nicht dasselbe von ihnen verlangen wie von anderen Profis, sagt er. Unser Gast nickt und stimmt zu. Ich werde rot vor Wut. Hier arbeitet er jeden Tag mit einem loyalen Team von Schauspielern, die stolz auf den absoluten Professionalismus sind, den er von ihnen verlangt. Ihnen würde Ingmar keine Sekunde erlauben, das zu tun, was er jetzt lächelnd gutheißt.

Ob er wirklich weiß, wie es ist, jeden Abend um sieben ins Bett zu gehen, um am nächsten Morgen vor Sonnenaufgang aufzustehen, einen Text zu lernen und pünktlich zum Schminken da zu sein, vor die Kamera zu treten und unter seinem Röntgenblick ausgeruht zu wirken? Ob Ingmar versteht, warum ich innerlich koche, wenn er nachsichtig über Amateure redet, während er von seinen eigenen Mitarbeitern bedingungslose Unterstützung fordert?

Manchmal wird man so wütend auf Regisseure, Vorgesetzte, Männer im allgemeinen. Ihren unglaublichen Mangel an Logik – eben noch Forderungen an diejenigen zu stellen, die ihnen am nächsten sind, und im selben Atemzug Leute mit Bewunderung zu überschütten, deren Verhalten das genaue Gegenteil ist. Wie unrealistisch sind sie in ihrer Haltung gegenüber dem, was sie innerlich glauben, und dem, was sie sagen. Um mit ihrer Umgebung auszukommen, haben sie eine Wahrheit, aber sie brauchen noch eine andere, um überhaupt funktionieren zu können.

Eine Wahrheit für Gespräche – eine andere für das Leben.

23. Tag. Ich liebe Großaufnahmen. Für mich sind sie eine Herausforderung. Je näher die Kamera kommt, um so stärker wird mein Verlangen, ein völlig nacktes Gesicht zu zeigen; zu zeigen, was hinter der Haut, den Augen liegt; im Kopf. Die Gedanken zu zeigen, die dort entstehen.

Mit Ingmar zu arbeiten ist wie eine Entdeckungsreise in mein eigenes Ich. Ist die Fähigkeit, all die Dinge zu verwirklichen, von denen ich als Mädchen träumte.

Die Maske abwerfen und zeigen, was dahinter ist.

Die Kamera kommt ganz dicht heran, und vieles von mir wird eingefangen.

Dem Publikum näher als bei jedem anderen Medium, wird das menschliche Wesen auf der Leinwand gezeigt. Für die Kamera bin ich mehr entblößt als für den Geliebten, der meint, er hätte meine Gedanken gelesen.

Selbst wenn ich mir sage, daß ich eine Rolle spiele, kann ich nie ganz verbergen, wer *ich* bin, was *ich* bin.

Im Augenblick der Identifikation lernen die Zuschauer einen *Menschen* kennen, nicht eine Rolle, nicht eine Schauspielerin.

Ein Gesicht, das ihnen unmittelbar entgegentritt: Das ist es, was ich über Frauen weiß. Das ist es, was *ich* erfahren habe, gesehen habe. Das ist es, was ich mit anderen teilen möchte.

Es ist nicht mehr eine Frage des Make-ups, der Haare, der Schönheit.

Es ist eine Selbst-Entblößung, die viel weiter geht.

Wenn die Kamera so nahe kommt wie manchmal bei Ingmar, zeigt sie nicht nur ein Gesicht, sondern auch, was für ein Leben dieses Gesicht gesehen hat.

Gedanken hinter der Stirn, etwas, das das Gesicht nicht über sich wußte, das die Zuschauer aber sehen und erkennen werden.

Insgeheim sehnen wir uns nach diesem Erkennen: daß andere wahrnehmen, was wir wirklich sind, tief in unserem Inneren.

Mit Ingmar zu filmen bedeutet für mich, diese Erfahrung zu machen.

Man gibt mir eine Rolle, man gibt mir die Jenny; und ich versuche, eine Figur zu schaffen, und er versteht sofort, wer sie ist.

Das ist sein Genie: die Identifikation, das Erkennen, sein phantastisches Auge und Ohr.

24. Tag. Heute ist das Ausleuchten sehr schwierig, und wir sitzen lange in der Bibliothek und reden. Ingmar sinniert über Licht und Geräusche. Mit einem gewissen Bedauern sagt er, daß die Geräusche, die uns umgeben, völlig anders sind als die, an die er sich aus seiner Kindheit erinnert. Er erzählt von den Karren, die morgens vor seinem Fenster quietschten, den Pferden, die auf den Straßen trabten, von Uhren, die laut tickten und jede Viertelstunde schlugen, dem Wind, der in den Ofenrohren pfiff.

Ich erinnere mich an das Geräusch, das meine Schuhe im Frühling machten, wenn der Schnee auf dem Schotterbelag der Munkegaten geschmolzen war.

Ingmar wurde mit Petroleumlampen groß; ich sah, wie die Straßenlaternen jeden Abend von einem Mann mit einem langen Stock angezündet wurden. Das Neonlicht kam erst viel später. Die Lichter meiner Kindheit funkelten. Die Abende waren dunkler – ein anderes Dunkel als das heutige, das von Reklamen und Schaufenstern abgeschwächt wird.

Als ich klein war, waren die Fenster alle viel größer, und

in keiner Wohnung hingen die gleichen Gardinen. Die Bilder an den Wänden enthielten für mich so große Anregungen, daß ich sie als Erfahrung mit ins Leben nahm.

In meiner Kinderzeit gingen wir zu Vorträgen und sahen Lichtbilder von anderen Ländern. Heute bombardiert die Welt meine Tochter täglich mit lebenden Bildern im Fernsehen.

Und die Gerüche. Auch sie sind anders. Ich erinnere mich an den Duft von Kohleöfen und Holzöfen.

Ingmar hatte ein geheimes Örtchen. Er erzählt, wie sich die Kinder darunter versteckten und zu all den Hintern hochschauten.

Ich erinnere mich an einen Freund, der auf dem kleinen Bauernhof aufwuchs, wo wir unsere Sommerferien verbrachten. Er hatte noch nie ein Wasserklosett gesehen, bevor er uns in der Stadt besuchte. Er zog an der Kette und glaubte, das ganze Meer würde sich in unsere Wohnung ergießen. Wir mußten ihn stundenlang bearbeiten, um ihn davon abzuhalten, sofort wieder heimzufahren.

Ich habe den Eindruck, daß das Essen länger auf dem Herd kochte, als ich klein war. Es roch nach Speisen, Suppen, Saucen und Plätzchenbacken.

Es roch einfach mehr, als ich noch klein war.

Großmutters Geruch. Und der Geruch der Mottenkugeln, wenn wir die Wintersachen wegpackten. Mama hatte immer Lavendel im Wäscheschrank. Tinte im Tintenfaß.

Vielleicht waren die Sinne auch viel schärfer, weil man so viele lebendige Eindrücke aus seiner unmittelbaren Umgebung empfing.

In meiner Jugend, scheint mir, verströmten sogar die Bäume und Blumen mehr Duft als heute.

278

26. Tag. Wir haben viele Statisten im Studio. Es sind meine Patienten in einem Alptraum. Jenny ist Ärztin und steht beim Betreten ihrer Praxis vor einer Menge weißgekleideter, leidender Menschen. Sie bahnt sich einen Weg zwischen ihnen hindurch, bleibt bei einigen stehen, sagt ein paar Worte, geht weiter. Die ganze Zeit greifen sie nach ihr, klammern sich an ihr fest.

Fremde, warme Hände berühren meinen Körper überall. Im Studio ist es schrecklich heiß. Ich bin nervös und vergesse meinen Text. Ingmar hat schlecht geschlafen und ist ungeduldig.

Die Statisten schauen mich zweifelnd an, als wir eine Einstellung nach der anderen wiederholen müssen, weil ich dauernd Fehler mache.

Einige von ihnen seufzen, wenn ich einen Satz vergesse. In der Gruppe der weißgekleideten Fremden wird ein Murmeln laut: «Sie macht andauernd Fehler.» – «Sie macht Fehler.»

Ich bin wütend auf Ingmar, dem ich diese Tortur verdanke, und als die Klingel zur Mittagspause ertönt, renne ich aus dem Studio. Seiner Frau rufe ich auf dem Flur zu, daß ich ihren Mann hasse.

Später an jenem Nachmittag besuche ich Erland, einen lieben Kollegen und Vertrauten. Ich stürme ohne anzuklopfen in seine Garderobe. Zorn und Demütigung kochen noch in mir. Voller Aggression erzähle ich ihm Geheimnisse über Ingmar, Lügen über ihn. Verrate, daß der wahre Grund für Ingmars einsame Mittagessen ein Stapel Schundheftchen ist, bei deren Lektüre er nicht ertappt werden möchte.

Erland hat einen so merkwürdigen Ausdruck im Gesicht; er sieht mich nicht an, antwortet mir nicht. Plötzlich entsteht Schweigen, und ich drehe mich um und blicke in die Richtung, in die Erland wie gebannt starrt. Ingmar sitzt in einer Ecke, ein seltsames kleines Lächeln auf den Lippen, traurig blickend.

Ich stehe da und möchte am liebsten sterben. «Das ist zuviel für mich!» rufe ich und stürze aus dem Raum, aus dem Filminstitut, weit fort auf den Hof, bis ich eine kleine Kiste mit einem Deckel sehe. Ich krieche hinein, obgleich ich viel zu groß bin, ziehe den Deckel über mir zu und beschließe, den Rest meines Lebens darin zu bleiben.

Cilla kommt, schaut hinein und bittet mich, herauszukommen.

Erland wendet alle seine Überredungskünste an. Aber ich möchte nie mehr auftauchen, ich will für immer dort sitzen bleiben, wo ich bin.

Schließlich – nach einer langen, langen Zeit – kommt Ingmar und klopft auf den Deckel.

Er öffnet ihn erst, als ich flüstere: «Herein.» Er fragt mich: «Wollen wir wieder Freunde sein?» und sein Gesicht ist freundlich.

Ullmann krabbelt heraus, und die Arbeit kann weitergehen.

31. Tag. Ingmar, der noch nichts von dem Film gesehen hat, während wir arbeiteten, hat sich gestern abend alle Muster vorführen lassen.

Heute ist die Atmosphäre gespannt.

Er führt vertrauliche Besprechungen mit den Vertretern der einzelnen Teams. Einige sehen hocherfreut aus, andere verkriechen sich brütend in einer Ecke.

Ich bin schon nervös, ehe ich Ingmar überhaupt begegne. Jenny soll heute zwischen Leben und Tod, zwischen Unterbewußtsein und Bewußtsein pendeln. Es ist eine der Traumsequenzen, schön und voller Phantasie und Herausforderung im Drehbuch, aber er hat nicht viel über diese Szenen gesagt – vielleicht, weil er sich immer noch nicht bis in alle Einzelheiten klar ist, wie sie gemacht werden sollen. Wie lebendig bin ich? Wie tot? Wie real ist der Tod?

Ich habe mit Leuten über ihre Träume gesprochen. Die meisten erleben sie wie auf der Schwelle zur Realität – nur Einzelheiten trennen Träume vom wirklichen Leben: Farben, Schatten, plötzliche Visionen, unlogische Begegnungen.

Ingmar schimpft mit mir, weil ich an den ersten beiden Drehtagen so heiser war wie eine Krähe, und jetzt müssen wir das Ganze wiederholen. Ich komme mir schuldig vor, obwohl ich weiß, daß es teilweise auf schiere Erschöpfung zurückzuführen war. Unmittelbar nach meinem Rückflug von Amerika, am Tag nach meiner letzten Vorstellung am Broadway, saß ich bereits hier auf dem Schminksessel. Die Nerven und inneren Spannungen trugen das ihre dazu bei. Ein häufig wiederkehrendes Halsleiden ist seit ein paar Jahren ein Problem. Vielleicht ist es entstanden, weil ich so hart arbeite. Ich gehe jeden Tag nach dem Drehen zu einem Sprechtherapeuten, oft für zwei Stunden. Ich war auch bei einem Halsspezialisten, der pinselte, grübelte und eine Lampe meine arme Kehle hinunterstieß – um zu dem Schluß zu kommen, ich hätte Stimmbänder wie Drahtseile.

Ich verspreche Ingmar, morgen wieder zu dem Halsspezialisten zu gehen und neue Untersuchungen über mich ergehen zu lassen. Verspreche ihm nervös, daß ich nie wieder heiser sein werde. Dann bittet er mich, keine belegten Brote mehr zu essen, wenn ich meinen Kaffee trinke. Es wäre ihm außerdem lieber, daß ich ebenfalls das Abendessen ausließe, wenn ich nach Hause komme. Ich lege beiläufig die Hände auf den Magen, während ich auch dieses verspreche.

Ansonsten ist er mit meiner Arbeit zufrieden. Er glaubt, ich verstünde, was er mit Jenny tun möchte.

Ich habe Jennys rotes Kleid an, das sie in ihren Träumen trägt, ein langes rotes Kleid, oft noch mit einer roten Kapuze. Ich bin sicher, daß es hier eine Assoziation mit den roten Wänden in Ingmars *Schreie und Flüstern* gibt. Von denen er bemerkte, sie hätten die Farbe der Seele.

Jenny kommt in eine menschenleere Wohnung gelaufen; ein unheimliches Licht liegt auf den Möbeln ihrer Großeltern. Jenny ruft nach Mama, Großvater, Großmutter, nach allen, die ihr am nächsten stehen. Niemand kommt. Stille in allen Zimmern. Sie sinkt an einen Tisch, sieht ihr eigenes Gesicht in seiner spiegelnden Platte. Aus den Schatten einer Ecke taucht wie aus einem dunklen Nichts die Frau auf, die Jennys Angst symbolisiert.

Diese Rolle spielt Tore Segelcke, eine der größten norwegischen Schauspielerinnen.

Sie legt mir einen Schal um die Schultern und zieht mich mit unendlicher Zärtlichkeit an sich und sagt: «Nun darfst du keine Angst mehr haben.»

Tore spielt mit siebzig Jahren ihre erste Filmrolle. Sie ist ein wunderbarer Mensch – alle lieben sie. Ingmar sagt, für ihn verkörpere sie alles, was Fraulichkeit sei. Aber in diesem Film hat sie so gut wie keine Gelegenheit, es zu zeigen.

Aino tritt ebenfalls in Jennys Traum auf. Ingmar bemerkt, daß mit ihrem Mund irgend etwas Sonderbares passiert, wenn sie sich für eine Großaufnahme sammelt. Aino sagt: «Ich weiß, ich weiß. Das ist mein Abwehrmechanismus.» Ingmar fragt freundlich: «Ist es sehr schwer für Sie?» – «Wenn es um die Kunst geht, kümmert man sich nicht mehr um sich selbst», antwortet die Schauspielerin.

34. Tag. Wir sprechen über das Leben. Ingmar, Gunnar, Aino und ich. «Je älter ich werde, desto öfter muß ich an meine Mutter denken», sagt Ingmar. «Wenn ich meinen Bruder ansehe, scheint es mir, als wären wir erst gestern barfuß durch den Garten gelaufen, und ich spüre eine Angst in mir.»

Gunnar erklärt, der Tod sei ein merkwürdiges Phänomen. Er selbst fürchte sich schrecklich davor. Ein Bekannter von ihm legte sich ins Bett, als man ihm sagte, sein Ende sei nahe. Er blieb darin liegen und wartete zwanzig Jahre.

Ich bin beim Arzt gewesen, eine neue Blutprobe, neue Untersuchung der Kehle. Irgend etwas ist nicht in Ordnung, und das beunruhigt mich. All dieses Gerede vom Tod ist nicht spurlos an mir vorübergegangen. Ich spüre vage, daß er mir näher ist als vorher. Früher dachte ich nie an ihn – verstand nie, wenn Leute von Ihrer Sehnsucht sprachen, daß ihr Leben zu Ende sein möge.

Es ist Nachmittag. Ich sitze allein und höre Musik. Ingmar geht vorbei, bleibt einen Moment stehen und tätschelt meinen Kopf. Zwischen uns ist Stille. Dann sagt er: «Ich komme mir vor, als wäre ich in einem Zug – erster Klasse – und führe durch die Zeit. Es ist sehr seltsam.»

Er setzt sich auf sein Sofa – legt die Beine auf den Tisch.

Er hat graue Socken an – genau wie die, die er vor fünf Jahren, vor zehn Jahren trug.

«Wir beide haben zusammen ein Kind», bemerkt er unvermittelt, in die Luft.

Ein Erinnerungsblitz:

Linn ist vier Wochen alt. Sie hat eine Kolik und schreit und schreit. Ingmar sitzt mit ihr im Bett. Er zieht sie aus – dann sich, legt ihren winzigen, vor Krämpfen ganz steifen Körper auf seinen nackten Bauch. Sie beruhigt sich, und sie schlafen einer in des anderen Wärme ein.

36. Tag. Über Pfingsten fahre ich zu meinem Haus in Sandefjord. Es steht am Rande einer hohen Klippe. Vor mir sehe ich nur das Meer. Ich liebe diesen Ort. Ich bin von Weite umgeben: Natur, Steine, Bäume, Moos.

Ich kann weit, weit, weit laufen.

Ein Hund, außer sich vor Lebensfreude, wühlt ein Loch in die Erde, wird mit Schmutz bedeckt, verschwindet fast im Boden, nur sein Schwanz ist noch zu sehen.

Linn hat Geheimnisse und Verstecke. Sie kommt nach Haus, nachdem sie im Zauberwald und im Weißen Wald gewesen ist – Orte, die ich nie kennen werde. Sie erzählt von Yr, ihrem besten Freund, der irgendwo weit draußen wohnt, wohin sie mich nicht mitnehmen kann. Dort gibt es böse Männer und gute Männer, und Linn führt den Krieg zwischen ihnen an, und es ist sehr gefährlich.

Meine ganze Kindheit ist irgendwo dort bei ihr draußen.

Wir Erwachsenen sitzen vor dem Kamin und beobachten die sonderbaren Konfigurationen der Flammen – spüren die Hitze auf unseren Gesichtern. Oder wir machen lange Spaziergänge, lesen, sehen durch die großen Fenster die Tage und Nächte kommen und gehen.

Betrachten das Meer, das sich ständig wandelt.

Winzige, winzige Wellen, die die Oberfläche kräuseln, als riefe jede: «Seht mich an – seht nur, wie groß und stark ich das Meer mache.» Sie wissen nicht, wie viele Millionen von ihnen es gibt. Dann brechen sie sich an den Felsen.

Die Wolken am Himmel, die Farben, die Dunkelheit, die herabsteigt und uns einhüllt.

All das gehört zu meinem Haus über dem Fjord, irgendwo in Norwegen.

39. Tag. Wir sind wieder in Stockholm. Linn wird heute filmen. Ein Gewitter hat in der Luft gelegen, und ich glaube, es hat sich auf Ingmar ausgewirkt. Besonders böse ist er auf mich, weil Linn einen Schnupfen hat. Er hat eine Todesangst vor Bazillen und betrachtet mich mit einer wortlosen Wut, die ich nur zu gut kenne. Die alte Unsicherheit, die mich früher immer in ähnlichen Situationen überfiel, blockiert das, was ich ihm gern sagen würde: daß Linn sich schon seit Monaten auf diesen Tag gefreut hat, an dem sie mit Papa filmen würde. Daß sie um halb sechs aufgestanden ist, um von Norwegen nach Schweden zu fliegen. Ihre Vorfreude im Auto, der Jubel über das neue Kleid und die neuen Schuhe.

Jetzt wird ihr erklärt, daß die Rolle, die man ihr versprochen hatte, auf «schlafendes Kind» reduziert worden ist.

Soll das eine Bestrafung dafür sein, daß sie erkältet ist?

«Sie wird schon noch eine Schauspielerin werden», sagt er zu mir, als sie bittet, ihr das «schlafende Kind» zu ersparen oder wenigstens ein «zuhörendes Kind» sein zu dürfen.

Linn lernt heute eine Menge. Das weiß ich. Und ich

weiß, daß es weh tut und ich ihr einzig und allein damit helfen kann, daß ich nachher besonders gut zu ihr bin.

Die Sonne kommt heraus, als wir beide am Nachmittag
nach Skansen fahren. Küken und Kätzchen im Kinderzoo.
Ein Stück wird aufgeführt. Wir sitzen dicht nebeneinander
auf einer harten Bank, schauen zu. Eine Mutter, die innerlich vor Zorn auf den Vater des Kindes kocht, der seine
Angst vor Krankheiten keine Sekunde lang vergessen
kann. Ein kleines Mädchen, das glücklich aussieht.

Zum Abendessen mache ich Maiskolben. Unser Lieb-
lingsgericht – mit viel Butter und Salz. Wir schwelgen
darin. Ein richtiges Gespräch – wir lassen uns viel Zeit dafür. Danach nehmen wir zusammen ein Schaumbad,
schauen die Nachrichten im Fernsehen an, diskutieren,
trinken heiße Schokolade.

Im Bett sitzen wir und zeichnen. Sie malt ein lachendes
und gesundes Mädchen. Und ein anderes, das weint, weil
es krank ist.

Wir knipsen das Licht aus. Heute wird Linn bei mir im
Bett schlafen. Ich stelle den Wecker auf halb fünf, damit
ich meinen Text morgen früh lernen kann statt jetzt.

Ich interessiere mich noch nicht einmal dafür, worüber
ihr Vater wohl nachgedacht hat, als dieser Arbeitstag vorbei war.

Wahrscheinlich hat er nur an seinen Film gedacht. Väter
dürfen das ja.

40. Tag. Heute wird die Szene in Jennys Praxis gedreht. Ich
kann meinen Text nicht, obgleich ich ihn am Morgen wiederholt durchgegangen bin. Ich bin verzweifelt, und da fällt
mir ein, was Laurence Olivier einmal sagte: Mehrere Jahre

hatte er fürchterliches Lampenfieber, weil er sich nie an das Ende eines Satzes erinnern konnte, wenn er ihn begann.

Ich komme mir vor wie ein Tier im Käfig. Alle erkennen meinen Zustand sofort. Sie unterhalten sich leise miteinander und vermeiden es, mich direkt anzusprechen.

Cilla zwinkert mir aufmunternd zu, aber ich kann in ihren Augen lesen, daß ich eine Katastrophe bin. Einen Augenblick lang vergrabe ich meinen Kopf in den Händen.

Ingmars Geduld, wenn die Szene noch einmal und noch einmal wiederholt werden muß, weil ich meinen Text vergessen habe, tröstet mich nicht im geringsten.

Der Schauspieler, mit dem ich in dieser Szene arbeite, hat seinen ersten Drehtag, und ich fürchte, daß ich auch ihm alles vermassele. Meine Nervosität ist ansteckend.

Allein vor der Kamera sein. Die Rolle festlegen. Mich in ihr zeigen. Der ganze Text. Der ständig prüfende Blick. Die Zeugen ringsum, die meine Niederlage miterleben.

Schließlich nimmt Ingmar mich bei der Hand, und wir gehen im Flur auf und ab. Die Ereignisse des gestrigen Tages kommen unter Tränen hervorgesprudelt, und ich zeige ihm die Zeichnung, die Linn am Abend gemacht hat.

Ingmar bittet behutsam um Verzeihung und sagt, er habe seit langer Zeit nicht mehr richtig geschlafen. Er sorgt sich um seinen Film. Fürchtet, er würde krank werden. Ihn nicht beenden können.

Langsam bringt er mich zum Schminkraum hoch, wo Cilla schon darauf wartet, sich dessen anzunehmen, was von meinem Gesicht übriggeblieben ist.

Als ich nach Hause fahre, fällt mir etwas Neues an der

Stadtlandschaft auf. Mehr Häuser haben bewaffnete Posten an der Tür. Vor ein paar Wochen wurden einige Menschen in einer Botschaft getötet. Sie stellten einen Mann ans Fenster und erschossen ihn von hinten, vor den Augen aller Passanten.

Die Angst ist zu uns gekommen und geblieben.

Ich kann dem Tod ganz plötzlich in meiner eigenen Straße begegnen.

45. Tag. Linn hat Alpträume gehabt und krabbelt zu mir ins Bett. Ich liege da und betrachte sie, während draußen gerade der Morgen graut.

Ein Kind, das so anders erwacht als ein Erwachsener. Eine Brust, die weder männlich noch weiblich ist – nur eine magere kleine Vogelbrust.

Um ihren Mund ein Lächeln, das dem ganzen Gesicht gehört – sehr weich.

Ein glückliches Flattern der Augenlider, wenn sie spürt, daß ich dicht neben ihr liege und Zeit habe.

Das Kind, das mich streichelt, das offen und zärtlich ist, das wieder einschläft – sich umdreht und seufzt und träumt.

47. Tag. Wir haben heute eine richtige Krankenschwester im Studio, und ich habe Schläuche in meiner Nase und meinem Arm stecken. Die Schauspielerin, die die Schwester spielen soll, wird von der echten eingewiesen.

Ich mache die gleiche Erfahrung wie an dem Tag, als ich die hundert Tabletten schluckte. Dies ist wirklich. Film und Wirklichkeit verschmelzen. In letzter Zeit habe ich mich so sehr mit dem Tod beschäftigt, daß alles, was nach ihm riecht, bestimmte Assoziationen in mir weckt.

Ich habe in diesem Augenblick keine Angst zu sterben, und dennoch beschäftigt mich der Gedanke daran fortwährend.

Die Atmosphäre ist gespannt. Ingmar wirkt besorgt, und ich weiß nicht, was es ist. Ich habe das Gefühl, daß er sich anstrengen muß, um freundlich zu sein. Als er mir zeigt, wohin ich gehen soll, nimmt er meinen Arm nicht herzlich und leicht, wie er es sonst tut. Seine Finger packen mich hart und steif.

Ich glaube, dieser Film berührt ihn mehr als alle bisherigen. Als ob er ihn selbst lebte, und er wird wehrlos sein, wenn andere ihn später beurteilen – ihn sehen, über ihn sprechen.

Ich wohne in einer alten Wohnung. Genau gegenüber von Ingmar und Ingrid. Sie haben sie für mich renoviert und eingerichtet. Jedes Zimmer hat seine eigene Farbe, fröhlich und kräftig. Im Schlafzimmer hängen Vorhänge aus *Schreie und Flüstern*; im Wohnzimmer stehen die Möbel aus *Szenen einer Ehe*. An den Wänden hängen Poster, und in Linns Zimmer liegt Spielzeug aus Ingrids Kinderzeit.

Manchmal stehen wir am Fenster und winken uns zu, während wir telefonieren. Wenn ich kurz verreist gewesen bin, ist er da, voll Furcht, mir könnte etwas zugestoßen sein. Dann und wann bemerkt er: «Bei dir haben gestern abend Kerzen gebrannt – na, na» oder «Letzte Nacht sind wir ja früh schlafen gegangen.»

Es ist, als wäre ich wieder ein kleines Mädchen und Mama paßt auf, wann ich nach Hause komme und mit wem, und wie lange ich im Eingang stehe.

48. Tag. Ingmar sagt: «Jetzt spüre ich, daß ich das Gleichgewicht gefunden habe. Leben quält mich nicht mehr.»

Jedesmal, wenn er das verkündet, glaubt er es, weil er es immer an einem guten Tag verkündet.

Erland bemerkt: «Wenn es nur wahr wäre! Dann brauchten wir nicht mehr herzukommen und Selbstmord zu begehen. Und zu leiden und in den Ecken zu stehen und uns zu schämen.»

Ingmar lacht. Es ist mitten in der Woche, wenn wir alle am besten sind. Die letzte Unterbrechung ist schon lange her – unsere Vorfreude auf den nächsten freien Tag hat sich noch nicht störend auf den Arbeitsablauf ausgewirkt. Jetzt gibt es für uns nur den *Film*. Vor allem für Ingmar, der glücklich von einem zum anderen geht. Die Zufriedenheit selbst in seinen Mokassins und seinem Pullover.

Scheinwerfer und Kamera – alles funktioniert – alle funktionieren reibungslos und entspannt.

Ich kenne keine besseren Tage – kein besseres Gefühl der Zusammenarbeit. Es sind Tage wie dieser, solche gemeinsamen Freuden, nach denen ich mich sehne, wenn ich in Hollywood bin, umringt von hundert Leuten.

50. Tag. Heute wird Jenny schreien. Einmal in ihrer Kindheit gab es einen Schrei des Leids, der nie herauskam. Erland, der ihren Arzt und Freund spielt, versucht, sie dorthin zurückzuversetzen.

Vielleicht nicht nur zu diesem einen Schrei – sondern zu allen, die sie eingekapselt und mit sich herumgeschleppt hat: die verletzten, die angstvollen, die haßerfüllten, die hoffnungslosen. Man stelle sich nur vor, auf dieser Erde sind wir eine ganze Armee von Frauen mit all unseren stummen Schreien, lebt eine ganze Armee von Männern mit ihren Schreien. Und wir hören uns gegenseitig kaum.

Ingmar schreibt, es gebe vielleicht keine Worte, die uns erreichten, es gebe vielleicht keine Wirklichkeit. Die Wirklichkeit existierte nur als Sehnsucht.

Ich weiß es nicht. Wenn ja, ist dann *Sehnen* nicht etwas Wirkliches? Die Tatsache, daß wir *wünschen*, miteinander darüber zu sprechen, danach verlangen, die eigene Unsicherheit und die Unsicherheit der anderen zu akzeptieren?

56. Tag. Ich liebe technische Herausforderungen. Mitten in einer schwierigen emotionalen Szene auf einem Kreidestrich stehenbleiben. Sich die ganze Zeit bewußt zu sein, wo die Kamera ist und in welchem Winkel ich zu ihr sein soll.

In mir eine Stimme hören, die Regie führt, und mich gleichzeitig einer Situation hingeben, die nie die meine war; obwohl sie von nun an so zu meiner Lebenserfahrung gehören wird, als hätte sie in der Realität stattgefunden.

Jennys Angst gemahnt mich an etwas, das früher einmal mein Leben war. Eine ferne Kindheitserinnerung: die Angst vor der Dunkelheit. Die Geräusche, denen ich nachts lauschte. Atem, den ich nicht laut werden zu lassen wagte, bis ich beinahe erstickte, wenn ich in meinem Bett lag und ihn zurückhielt.

Seufzer, die nie ausgestoßen wurden.

Vieles von dem, was ich erfahren habe, benutze ich in meinem Beruf. Die Erschöpfung, den Abscheu, die Furcht, die ich gekannt habe.

Lebenserfahrungen werden darstellerische Erfahrungen, die wiederum zu Lebenserfahrungen werden.

Ich schreie mit Jenny vor der Kamera und fühle mich danach ungeheuer erleichtert.

Man stelle sich vor, welche Erfahrung man nach dem Tod für seine Arbeit mitbringen könnte, von der Erfahrung, die man fürs Leben mitbrächte, ganz zu schweigen.

57. Tag. Freitag. Vorfreude auf Ausflüge, Familie, Schiffe und Sommerhäuser. Ich habe für das Wochenende geplant, mit ein paar Freunden zu einer Hütte zu fahren. Linn nimmt einen Schlafsack mit. Die Freunde sind schon unter der Woche abgefahren, um alles vorzubereiten.

Aber Ingmar hat Visionen. Er will nicht, daß ich verreise. Er hat geträumt, die Dreharbeiten würden durch irgendein Mißgeschick unterbrochen.

Ich weiß, daß ich bleiben muß – sonst wird der Montag unerträglich sein: Ingmars mißtrauische Blicke, wenn er mich sieht. Bin ich erkältet, ist etwas anderes mit mir nicht in Ordnung? Bin ich übermüdet? Ist meine Konzentration auf den Film dahin? Seine Haltung ist ansteckend. Ich werde nervös werden, meinen Text vergessen, übereifrig sein. Alles tun, um ihm keinen Anlaß zur Kritik zu geben – und ihm damit jeden Grund bieten.

Wenn ich fahre, wird Ingmar einen schrecklichen Sonntagabend verbringen, das weiß ich. Er wird ruhelos am Fenster auf und ab gehen, um zu sehen, ob und wann ich heimkomme.

Ich muß zu Hause bleiben.

Während die anderen ihre Vergnügungen planen, sitze ich theatralisch in einer Ecke und leide und denke, was ich an diesem Wochenende alles verschlingen werde, wenn ich Linn und den anderen Lebewohl gewunken habe.

Ich werde den Tisch beim Fenster decken und direkt vor Ingmars Augen ein Kotelett nach dem anderen vertilgen. Ich werde seiner Silhouette hinter den Gardinen mit einem Glas Wein und Schnaps nach dem anderen zuprosten. Und jeder Löffel Karamelpudding, den ich mir in den Mund schiebe, wird ein Dolchstoß durch den Vorhang sein.

60. Tag. Jenny ist hysterisch. Sie kann niemanden erreichen. Sieht ihre Tochter in einem Traum. Läuft hinter ihr her, ruft sie. Die Tochter verschwindet. Jenny bleibt stehen, schreit, lehnt den Kopf an eine Wand. Hier sollte die Szene eigentlich aufhören, aber Jenny fängt plötzlich an, mit dem Kopf gegen die Wand zu stoßen. Zu spät entdecke ich die scharfe Kante, aber ich kann nicht mehr einhalten. Die Kamera läuft. Außerdem würde Jenny in ihrer Lage niemals Schmerzen spüren. Sie stößt mit dem Kopf noch einmal gegen die Wand, noch einmal, noch einmal.

Während Liv nervös daneben steht und Beulen an *ihrem* Kopf bekommt.

61. Tag. Jennys Tochter ist vierzehn Jahre alt. Heute ist ihre Szene dran. Die junge Schauspielerin ist sanft und zerbrechlich, hat eine helle Stimme. Es ist leicht, die künftige Linn in ihr zu erkennen, dies mit Zärtlichkeit und Wehmut zu entdecken.

Ich versuche mir vorzustellen, wie ich war, als ich noch so jung war, merke aber, daß meine Erinnerung nicht so weit zurückreicht.

Manchmal bin ich zornig, daß ich nie wieder sie sein, nie wieder sanft sein, nie wieder die ganzen Möglichkeiten des Lebens in mir haben werde. Und vor mir.

Wie merkwürdig es ist, dazusitzen und sie anzuschauen und zu wissen, daß *ich* auf der Schwelle zu den mittleren Jahren stehe, in ihren Augen zu lesen, daß sie nicht versteht, daß auch ich vierzehn bin und mir nur für kurze Zeit wünsche, *sie* zu sein.

Jahre vergehen so schnell und bilden schon eine unüberbrückbare Kluft zwischen mir und dem, was ich einmal war.

Zwei kleine Mädchen sitzen zusammen und sprechen miteinander – aber die eine wird von der anderen nicht gesehen.

63. Tag. Jennys Großvater liegt im Bett. Dem Ende nahe. Seine Frau ist bei ihm, redet leise in sein Ohr. Sie sind vereint in einem Lebewohl, das Jenny von draußen beobachtet.

Hinterher spricht Gunnar vom Tod; er ist selbst schwer krank gewesen, aber jetzt scherzt und redet er oft über die Dinge, die ihn früher zu ängstigen pflegten.

«Meine Mutter sagte immer, sie stelle sich den Tod als gutaussehenden Mann vor, der komme, um sie abzuholen. Der letzte.»

Alle lachen. Gunnar fährt fort: «Wißt ihr, wer die tiefsten Augen, das breiteste Lächeln, die wärmste Umarmung hat?» Dann richten seine Augen sich auf mich, und weit, weit hinten in ihnen sehe ich mehr als das, was er sagt. «Ich denke nicht mehr mit Schrecken an den Tod», erklärt er ruhig. «Wenn ich alt und müde genug werde, kommt mir das Sterben bestimmt viel natürlicher vor als die Geburt.»

65. Tag. Einer der letzten Drehtage dieses Films. Jenny

träumt, sie nehme an ihrem eigenen Begräbnis teil. Man hat sie in einen Sarg gelegt – sie hat Blumen im Haar, ihre Hände sind über der Brust gefaltet, und über ihren ganzen Körper sind Rosen gestreut.

Ich muß absolut still liegen, damit die Dekoration nicht verändert wird.

Ich komme mir von den anderen isoliert vor. Keiner redet mit mir, als hätten sie Angst vor meinem Sarg. In der Pause gehen sie alle in die Bibliothek, und ich höre den Klang von Lachen und Gesprächen.

Ich bitte um Papier und Bleistift. Hebe vorsichtig die Arme und mache ein paar Notizen.

«Willst du da etwa deine Memoiren schreiben?» fragt Aino trocken, als sie vorbeigeht.

Ein amerikanischer Journalist hat die Filmarbeiten verfolgt, meist von seinem Büro aus, weil Ingmar keine Außenseiter im Studio duldet. Heute ist er Statist. Sogar für ihn, der in Hollywood alles mögliche erlebt hat, ist es ungewöhnlich, eine Diva in einem Sarg schreiben zu sehen. Er bemerkt mich. Die meiste Zeit achtet er nur darauf, was Ingmar sagt und denkt und tut.

Froh darüber, endlich einen menschlichen Kontakt zu haben, erzähle ich ihm von dem Buch, das ich schreibe. Er schenkt mir ein freundliches Lächeln und sagt, wir müßten uns später einmal darüber unterhalten.

Am Nachmittag laufe ich ihm auf dem Flur in die Arme. Er ist auf dem Weg zur Post und zeigt mir stolz einen Brief, den er einem amerikanischen Kolumnisten geschrieben hat: «Liv ist so süß und amüsant. Heute lag sie in ihrem Sarg und schrieb. Sie plant offenbar ein Buch. Ich bin sicher, daß nicht viel dabei herauskommen wird, aber vielleicht können wir einen guten Schreiber für sie auftreiben, der etwas aus dem Material machen kann. Ich schätze, es wird zumindest für ein, zwei Artikel reichen.»

Ich werde weiß vor Wut und frage ihn, was ihm eigentlich einfalle, einen solchen Brief zu schreiben, ohne mich zu fragen und ohne zu wissen, was ich tue.

Er ist verwirrt und verletzt und sagt: «Darling, ich wollte Ihnen doch nur helfen. Ich schicke ihn bestimmt nicht ab.»

Er knüllt den Bogen zusammen und wirft ihn in einen Papierkorb.

Als er gegangen ist, hole ich ihn wieder heraus, glätte ihn und bewahre ihn auf.

69. Tag. Alle zeigen Anzeichen von Erschöpfung.

Der Film handelt von Dingen, über die man gewöhnlich nicht spricht.

Vielleicht ist es gut, daß wir das durchgemacht haben. Gut für die, die das fertige Ergebnis sehen werden. Aber das können wir noch nicht wissen.

Theo Kalifaties sagt: «Sie müssen dreimal täglich an den Tod denken. Dann wird Wohlgeruch um Ihr Grab sein.»

«Ob man unseren Film mögen wird?» frage ich Ingmar.

«Betrachte ihn wie das Skalpell eines Chirurgen. Nicht jeder wird ihn freudig begrüßen», antwortet er.

Für Linn

Linn und ich sprechen vom Leben und vom Tod. Ich glaube, wir haben eine gemeinsame Antwort, die irgendwo in unserem Schweigen liegt, während wir hier sitzen.

Meine Hand in deiner.

Liebe Linn!

Es gab so viele Ansprüche von außen, von Leuten, die etwas von der Zeit haben wollten, die uns hätte gehören sollen. Du bist allein geblieben mit dem, was wir so gerne hätten miteinander teilen wollen. Du hattest eine hektische und unter Druck lebende Mutter, die Dich in Eile umarmt. Dir zuhört und dabei ungeduldig mit den Fingern auf die Tischplatte trommelt.

Ich bin müde gewesen und bat Dich, nicht so hartnäckig zu sein, weil ich mit den Nerven am Ende war.

Und ich habe gesehen, wie Du Dich zeitweilig von mir zurückgezogen hast.

Habe mich davor gefürchtet, Dich wiederzuholen. Gefürchtet, weil mein schlechtes Gewissen auf mir lastete.

Gefürchtet, weil der äußere Erfolg, den ich gehabt habe, auf Kosten von etwas erreicht wurde, das wir beide sonst vielleicht gemeinsam gehabt hätten.

Am meisten fürchte ich mich davor, daß es an dem Tag, wenn ich Dir meine ganze Zeit werde schenken können, zu spät sein wird, Dich zu erreichen.

Du sollst wissen, daß ich Dich immer liebe.

Während all der Jahre, in denen ich mit meinem Beruf kämpfte. Erfahren wollte, wer ich bin und warum ich bin.

Dein magerer kleiner Körper ist dem Leben genauso nahe, wie ich ihm gekommen bin.

Du, die Du das Leben selbst bist, wenn ich Dich berühre und Du schwer und warm bist und Dich an mich lehnst. Wenn Du meine Wange streichelst und sagst: «Kleine Mama», und mehr verstehst, als mir bewußt ist.

Wenn Du sagst, ich dürfe nicht traurig sein, denn Du seist ja da.

Wenn Du mein Leben reicher machst.

Nur indem Du bist.

Liebe Linn...

Ein Kontakt, ohne Worte und ohne Berührung.

Ich stehe am Fenster und sehe, wie Du in der Erde gräbst, mit Hosen, die an den Knien und hinten fast durchgescheuert sind.

Du hast Gedanken und Abenteuer, die ich niemals teilen werde. Ich stehe da und schaue Dich an und bin Dir näher als irgend etwas anderem.

Du bist ein Teil von mir, der völlig frei ist.

Und ich beobachte Dich und wünsche, ich hätte die Zeit, Dich noch näher zu beobachten. Zu sehen, wie Deine Freiheit in Dir lebt.

Verstehst Du, liebe Linn – dort draußen bei den Kindern, mit denen Du lachst, und den geheimen Spielen, die Dir allein gehören – und den Düften und den Farben und all der Schönheit, die noch Deine Welt ist – verstehst Du, daß ich wirklich keinen stichhaltigen Grund habe, nicht zu Dir hinauszulaufen und Dein Leben zu leben?

Es ist vielleicht das verlorene Königreich der Kindheit, nach dem ich unablässig suche.

Inhalt

Die Übersetzung beruht auf der von der Autorin
redigierten englischen Fassung ihres Buches. Titel des
norwegischen Originals: «Forandringen». Titel der
englischen Ausgabe: «Changing».

Die deutsche Übertragung entstand in Zusammenarbeit
mit der Autorin, die an dieser Stelle für die Mitarbeit
von Ursula Ibler und Marianne Pasetti dankt.

Copyright © 1976 by Liv Ullmann

Copyright der deutschen Textfassung
© 1976 by Scherz Verlag, Bern – München – Wien

Alle Rechte der Verbreitung, insbesondere durch Funk,
Film, Fernsehen, Tonträger jeder Art und auszugsweisen
Nachdruck, sind ausdrücklich vorbehalten.

Die wichtigsten Filme und Theateraufführungen mit Liv Ullmann

1959 Filmdebut mit einer Hauptrolle in dem
norwegischen Film *Ung flukt*
(Regie Edith Carlmar)

bis 1965 Hauptrollen im norwegischen Film, Fernsehen
und Theater (u. a. Anne Frank, Gretchen,
Julia, Nora, die Grusche in Brechts
Der kaukasische Kreidekreis und die Eva in
Herr Puntila und sein Knecht Matti)

1966 *Persona* und *Die Stunde des Wolfs*
(Regie Ingmar Bergman)

1967 *Schande* (Regie Ingmar Bergman)

1969 *An-Magritt* (Regie Arne Skouen, Norwegen)
Eine Passion (Regie Ingmar Bergman)

1970 *Kalter Schweiß* (Regie Terence Young, USA)

1971/72 *Die Auswanderer* und *Die Siedler,* später unter
dem Titel *Die Emigranten* und *Das neue Land*
(Regie Jan Troell)

1972 *Schreie und Flüstern* (Regie Ingmar Bergman)

1972–75 Hauptrollen in amerikanischen Theater-
aufführungen und Filmen:
Nora (Ibsen) und *Anna Christie* (O'Neill)
Papst Johanna (Regie Michael Anderson)

The Abdication (Regie Anthony Harvey)
Der unheimliche Besucher
(Regie Laszlo Benedek)
Leonora (Regie Juan Buñuel)
Der verlorene Horizont
(Regie Charles Jarrott)
40 Karat (Regie Milton Katselas)
Fremd unter heißer Sonne
(«Zandy's Bride», Regie Jan Troell)

1973   *Szenen einer Ehe* (Regie Ingmar Bergman);
deutsche Filmfassung 1975, deutsche Fernseh-
fassung 1976

1976   *Von Angesicht zu Angesicht*
(Regie Ingmar Bergman)

1977   *Das Schlangenei* (Regie Ingmar Bergman).